TERMINUS NEW YORK CITY

JUSTIN CASE

#01

ISBN : 978-2-324-00372-1
Dépôt légal : avril 2013

Éditions Gründ
60, rue Mazarine
75006 Paris – France
Tél. : 01 53 10 36 00
Fax : 01 43 29 49 86
Inernet : www.grund.fr

JEAN-LUC BIZIEN

Je m'appelle Justin.

Justin Case, pour être précis, mais vous le savez déjà puisque vous avez ce livre entre les mains… et que mon nom s'étale sur sa couverture.

Que puis-je vous apprendre à mon sujet ? Disons, pour faire court, que je suis né à la fin des années 80 – vous savez, cette décennie au cours de laquelle les coiffeurs se sont mis à couper les cheveux comme s'ils étaient sous l'effet de puissants hallucinogènes, les couturiers à employer les outils et les couleurs du bâtiment et les musiciens à découvrir les méfaits de la boîte à rythmes et du synthétiseur.

Une véritable horreur. Si vous êtes trop jeunes pour en avoir souffert, vous n'imaginez pas votre chance. Bref. Je m'appelle Justin Case et je suis riche. Très riche.

Je suis également orphelin. Les deux informations sont étroitement liées, puisque j'ai hérité de la fortune colossale de mes parents.

La vérité, c'est que l'on a tué ma mère, avant de faire accuser mon père… Je suis, depuis ce funeste jour, à la recherche des véritables coupables.

Comme vous pouvez vous en douter, cette enquête est complexe. J'y emploie le plus clair de mon temps, j'y investis une grande partie de ma fortune.

Je parcours également le monde, pour venir en aide à ceux qui en ont besoin.

Ceux que la justice a oubliés.

Ceux qui, comme mon défunt père, ont été victimes d'erreurs de jugement. Mon rôle consiste à les innocenter. Je rouvre les dossiers, je reconstitue les affaires, je recherche des preuves. Mais rassurez-vous : je ne suis ni un justicier, ni un de ces *caped heroes*, comme on dit chez moi.

J'ai le sens des réalités, je laisse le job à Batman ou Chuck Norris (ils font ça très bien, à ce qu'il paraît).

La plupart du temps, j'emploie des moyens légaux.

Il arrive pourtant que ça ne suffise pas.

Quand j'ai besoin de renforts, je fais appel à des amis fidèles, que je vais vous présenter.

Helena

C'est probablement l'une des plus belles créatures que je connaisse – et j'en connais BEAUCOUP, parmi les plus belles, vous pouvez me croire. Cette jeune femme est différente, à bien des égards. Son patronyme complet est Helena Carter-Lee. Les plus observateurs auront noté qu'elle a des origines asiatiques. Sans doute cela explique-t-il sa passion pour les arts martiaux. Helena est un combattant redoutable, que je n'affronterai pour rien au monde. C'est aussi un pilote d'hélicoptère et un chauffeur remarquable. Elle ne me quitte pratiquement jamais et je dois avouer que sa présence à mes côtés est rassurante… et la plupart du temps salvatrice.

Mais vous pourrez en juger, au fil des pages.

Sonny Boy

De son vrai nom Sonny Noland, c'est un génie de l'informatique. Aucun ordinateur n'a de secret pour lui. Il n'y a pas un système de sécurité au monde qui lui résiste. Depuis son Q.G. secret, Sonny est capable d'infiltrer n'importe quel réseau, de prendre le contrôle d'un réseau de surveillance, de se jouer d'un dispositif de veille…

Il est l'un de mes plus précieux alliés.

Nous partageons la même aversion pour les erreurs judiciaires.

Sonny Boy a mis au point un logiciel de veille, qui m'alerte en permanence. Victime il y a quelques années d'un terrible accident de voiture, il est cloué dans un fauteuil roulant. Mais n'allez surtout pas le prendre en pitié : vous commettriez une terrible erreur de jugement.

C'est un véritable guerrier, ancien champion de football américain. Quiconque passe à portée de ses mains devine la menace. Ce colosse n'a qu'une seule faiblesse à ma connaissance – je le soupçonne d'avoir cédé aux charmes d'Helena.

Comme cette dernière, il est l'un de mes anges gardiens.

Matthew Slides

C'était l'avocat d'affaires de mon père. Son confident, aussi. Sans doute, à bien y réfléchir, son meilleur ami. Ils ne se quittaient pas depuis qu'ils s'étaient connus à l'armée.

Je n'ai jamais réussi à obtenir d'explications, mais je sais qu'ils sont revenus de leur période de conscription avec un lourd secret en commun. Les liens qui les unissaient ne se sont jamais brisés – jusqu'à la tragique fin de mon père...

Grand, dégingandé, il fascine par un regard hypnotique et des cheveux sombres, qu'il porte longs. Toujours vêtu de costumes de dandy, il ne se sépare jamais d'une canne-épée dont le pommeau sculpté représente une tête de mort. Il ne fait pas son âge – les gens lui donnent généralement vingt ans de moins...

Une dernière chose que vous devez savoir : depuis que je suis enfant, l'une de nos activités favorites consiste à utiliser un code. C'est très simple : on annonce un chiffre, qui prévient du décalage que l'on va faire dans l'alphabet. Par exemple « 3 « signifie que l'on décale tout de trois lettres – et « a » devient « d », « e » devient « h », etc. C'est une gymnastique mentale qui nous a permis de communiquer tous les deux, loin de toutes les oreilles indiscrètes.

Bien sûr j'ai d'autres amis – et quelques adversaires plus ou moins coriaces, mais je vous laisse faire leur connaissance au fil des pages.

La vie est faite de surprises, n'est-ce pas ?

Bienvenue dans *MON* monde.

Prologue

Lamar Dawson se réveilla en sursaut. Comme toutes les nuits depuis son incarcération, il se redressa sur son lit, balayant le drap d'un brusque revers de la main. Il demeura hébété, les yeux ronds, la bouche ouverte sur un cri muet. L'espace d'un instant, il chercha de tous côtés. Où était-il ? Chez lui ? Dans une chambre d'hôtel ? Il tâta le lit, découvrit la couche froide et dure. Sa femme n'était pas à ses côtés…

Il n'était pas à la maison.

Quand la réalité s'imposa, il eut l'impression qu'une chape de plomb lui alourdissait les épaules. Les battements de son cœur accélérèrent la cadence. Lamar libéra un gémissement de bête traquée.

La pièce était plongée dans la pénombre.

Seule une veilleuse, fixée dans le mur au-dessus de la porte, jetait une clarté blafarde dans la cellule. Lamar passa une main fébrile sur son visage et la ramena poissée d'une sueur âcre. Il étouffa le sanglot qui lui compressait la poitrine et s'efforça au calme.

« C'est un cauchemar, ne cessait-il de se répéter. *Un simple cauchemar.* Quand je me réveillerai, la vie reprendra son cours. Je serai libre. J'aurai mon travail, ma maison. Ma famille. »

À la seule évocation des siens, il fut submergé par l'émotion et retomba sur le lit, déclenchant les grincements des ressorts hors d'âge.

Le détenu resta un moment immobile, recroquevillé en position fœtale, incapable d'ordonner ses pensées. Il se remémorait les conseils de June, son épouse : « Tu n'es plus le voyou que j'ai connu, le sermonnait-elle. Terminés, les petits délits. Tu as trouvé un vrai travail, tu es un père de famille honorable aujourd'hui et je ne peux que t'en féliciter. Je suis si fière de toi… »

Soudain, l'œilleton s'ouvrit dans la porte de métal.

Lamar fixa le rond lumineux en provenance du couloir, il entraperçut l'œil qui scrutait les ténèbres, sa pupille monstrueusement déformée par la lentille de verre. Le cercle de fer obstruant l'ouverture retomba bientôt et la cellule fut avalée par les ténèbres.

Lamar Dawson s'ébroua. Il s'assit au bord du lit. Un instant, il testa le sol rugueux de la plante des pieds, puis il s'immobilisa.

Résigné, il lâcha un long soupir.

Son passé l'avait sans doute rattrapé : les jurés n'avaient pas fait cas de sa situation actuelle. Pour les citoyens modèles, Lamar Dawson n'avait pas eu droit à la rédemption.

À leurs yeux, il resterait toute sa vie un délinquant.

« Toute ta vie… ricana une voix dans sa tête. Pour ce qu'il en reste ! »

Lamar sentit qu'un voile glacé lui couvrait l'échine.

Il n'avait plus que quelques jours à vivre.

À la fin de la semaine, il répondrait d'un double homicide.

Et serait exécuté.

Quand le marteau du juge avait heurté la table et que la sentence avait été prononcée, Lamar Dawson était resté sans réaction, le cerveau paralysé. C'est à peine s'il avait perçu le juron étouffé de son avocat, ahuri lui aussi.

Lamar avait présenté machinalement les poignets aux gardes qui approchaient. On lui avait tiré les bras dans le dos pour le menotter. Il avait quitté le tribunal comme sous anesthésie. Le brouhaha de l'assistance ne lui parvenait plus que déformé, comme au travers d'une bourre de coton. Anéanti par la stupeur, il n'avait même pas songé à embrasser sa femme...

Il le regrettait amèrement aujourd'hui.

Parfois, à cette seule idée, le chagrin lui enserrait la gorge au point de le laisser suffoquant. La vicieuse petite voix s'élevait alors dans sa tête : « C'est un cauchemar ! affirmait-elle. Tu peux pleurnicher sur ton sort... Mais tu ne fais que payer pour tout ce que tu as fait autrefois. »

Les yeux ouverts dans le noir, Lamar étudia par le menu les derniers événements qui avaient mené à son arrestation. Il ne comprenait pas quel monstrueux caprice du destin avait conduit les policiers à se présenter chez lui. Que lui reprochait-on ? Il menait une vie rangée depuis des années, avait rompu tout contact avec ses mauvaises fréquentations d'antan... C'était à peine s'il s'offrait parfois une soirée entre amis – avec ses *NOUVEAUX* amis, tous respectables – et sans s'autoriser le moindre excès ! Certes, il y avait eu ce faux pas. Un seul écart, minime, juste un soir. Ce fameux soir où...

« N'y pense plus ! se dit-il. C'est inutile. Tu te tortures pour rien. »

Les hommes du New York Police Department étaient venus à l'aube. Ils avaient cerné la maison, avant d'entrer en force pour le tirer de son lit, sous les yeux affolés de ses enfants. D'abord abasourdi, Lamar avait réagi avec véhémence. Il s'était défendu, clamant son innocence.

Les agents n'avaient rien voulu savoir.

On lui avait signifié ses droits, passé les menottes, on l'avait conduit au poste, on l'avait jeté dans une cellule...

Ensuite, tout s'était enchaîné très vite.

L'avocat commis d'office – Lamar n'avait pas les moyens de s'offrir un des ténors du barreau – avait fait tout son possible. Hélas, l'accusation était restée inflexible. Convaincu de meurtre, Lamar Dawson s'apprêtait à affronter la sentence ultime.

La voix ne lui accordait aucun repos :

– C'est peut-être un cauchemar, minaudait-elle, mais tu n'as que ce que tu mérites.

Lamar, sans même en avoir conscience, répondit à haute voix :

– Ça n'était qu'un service. Je n'ai rien à voir avec…

– Raconte ça à qui tu veux ! persifla la voix. Tu savais que c'était un truand, de la pire espèce. Tu as accepté de l'aider.

– Ça n'était qu'un service. En souvenir des années passées derrière les barreaux de…

– Et voilà où ça t'a mené ! Tu le savais, Lamar. On reste du bon côté de la ligne. Si on la franchit, on doit s'attendre, un jour ou l'autre, à payer ses fautes. L'heure est venue pour toi !

Lamar pressa ses poings contre ses tempes, dans une dérisoire tentative de mettre fin à cette torture verbale. En pure perte. Les mots tournaient sans cesse, en lisière de son esprit tourmenté. Désireux de leur échapper un moment, Lamar se concentra sur la petite lueur, au-dessus de la porte de la cellule. La minuscule ampoule blafarde luisait sous le plafond, comme l'unique étoile de ce ciel de goudron.

Hypnotisé, Lamar dut s'ébrouer pour s'arracher à sa fascination. Il consulta l'écran de la montre qu'on lui avait laissée – l'un des rares objets personnels dont il disposait encore.

L'aube viendrait bientôt.

Dans la matinée, il pourrait parler un peu, avant son transfert pour le pénitencier d'État : son avocat avait obtenu une visite exceptionnelle. Sans doute voulait-il lui adresser un dernier mot, tenter de lui apporter un improbable réconfort… Car tous les recours semblaient avoir échoué.

Pour Lamar Dawson, en tout cas, la messe était dite.

Vaincu, il s'allongea et se figea, à l'écoute des bruits de sa respiration. Les seuls qui troublaient le silence oppressant de la cellule.

Le matin trouva le prisonnier dans la même posture un peu roide.

L'allumage automatique des ampoules aveugla le détenu, qui porta une main en visière devant ses yeux en grimaçant. Peu après, la porte s'ouvrit. Un gardien déposa sur le sol un plateau porteur de son sommaire petit déjeuner. Lamar Dawson s'assit à nouveau. Il balbutia un remerciement auquel l'homme ne daigna pas répondre. Une fois la porte refermée et cadenassée, Lamar s'obligea à ingurgiter la bouillie de porridge sans saveur et le café amer.

Ensuite, il se leva, fit sa toilette au-dessus du lavabo rivé à la paroi et quitta son pyjama réglementaire pour enfiler l'uniforme orange commun à tous les détenus.

On décadenassa bientôt la porte.

– Dawson ! aboya le gardien. Au parloir.

Lamar quitta sa cellule pour longer le couloir carrelé de blanc.

Au passage, le gardien se crut obligé de railler :

– Profite bien de ta visite ! C'est la dernière... avant longtemps.

Lamar réprima un haussement d'épaules. Il avait vite appris, en détention, qu'il convenait de ne jamais contester la toute puissance des gardes, prompts à annuler les visites et à user de leur pouvoir pour brimer les détenus. Docile, il attendit sagement de passer les divers sas de sécurité qui menaient à une petite pièce dans laquelle il trouva son avocat. Ce dernier se leva à son approche et vint lui serrer longuement la main avec chaleur.

Lamar décela dans son regard une lueur de regret. Il signifia à l'homme de loi qu'il ne lui tenait pas rigueur du résultat de sa défense. En retour, l'homme ouvrit la bouche, mais il se ravisa et se contenta de l'inviter d'un geste à s'installer. Ils prirent tous deux place de part et d'autre d'une petite table, sous le regard suspicieux du gardien présent dans la salle.

Lamar sut gré à son défenseur de ne pas l'avoir fait attendre. L'attente, au sein des prisons, brisait les plus solides des détenus. L'attente vous rongeait. L'avocat le savait pertinemment, qui mettait un point d'honneur à toujours se présenter dès l'ouverture des horaires de parloir.

Lamar posa les mains sur la table.

– J'ai réfléchi. J'ai sans doute commis une erreur en acceptant de...

Aussitôt, l'avocat leva la main pour lui intimer le silence. Il avait désigné du doigt les caméras qui enregistraient tous les échanges dans la pièce.

D'abord décontenancé, Lamar se tut, intrigué par la tentative de sourire de son interlocuteur. Ce dernier s'éclaircit la voix en attrapant sa serviette de cuir. Il en retira un dossier, le feuilleta rapidement et y préleva une carte de visite. Il déclara à voix basse :

– J'ai peut-être une solution à vous proposer.

Lamar leva un sourcil. Il saisit machinalement l'élégant morceau de carton que l'homme lui tendait.

– On m'a contacté hier soir, souffla le commis d'office. J'ai aussitôt réclamé cette audience, je voulais vous prévenir. C'est… inespéré.

Lamar chancela.

Il ne comprenait plus rien.

– Inespéré ? répéta-t-il en balbutiant. De quoi s'agit-il ?

Le sourire de l'avocat s'élargit, dévoilant une dentition éclatante qui rendait hommage aux meilleurs praticiens de New York :

– C'est un spécialiste des cas désespérés. Vous devez garder espoir, monsieur Dawson : cet homme providentiel a entendu parler de votre affaire. Il a déjà, par le passé, obtenu des résultats stupéfiants. Il pourra peut-être…

Lamar n'entendait plus rien.

Les idées se bousculaient dans sa tête, tandis qu'il découvrait la carte de visite ivoire. Ses tempes bourdonnaient quand il détailla la surface délicate, sans aucune coordonnée.

Ni numéro de téléphone, ni mail, ni adresse.

Seul un nom, imprimé en lettres élégantes, barrait la carte de visite.

Lamar sentit les larmes brouiller sa vision.

Il déchiffra pourtant : JUSTIN CASE.

Chapitre 1

Justin Case retint à grand-peine un bâillement harassé. En ce début d'après-midi, le soleil frappait dur aux vitres de la salle du 57ème étage. Le gratte-ciel, dont la façade était décorée du logo de la *C. & Son Company* – le groupe industriel international dont il avait hérité à la disparition de ses parents – dressait sa silhouette effilée en plein cœur du quartier des affaires, au sud-est de Manhattan.

Justin jeta un rapide coup d'œil vers l'extérieur et regretta de ne pouvoir se lever pour admirer les reflets du jour sur l'Hudson River. Frustré, il balaya des yeux la pièce immense dans laquelle il avait pourtant la sensation d'être emprisonné. Il ne s'attarda pas sur la longue table de réunion, ni sur la longue théorie de visages fermés. Les hommes qui avaient pris place dans les hauts fauteuils de cuir avaient tous passé la cinquantaine. Ils étaient vêtus de costumes de marque et avaient ouvert devant eux d'épais dossiers, dont ils tournaient régulièrement les pages en émettant de brefs commentaires, pour valider les remarques des uns et des autres.

Justin n'accorda pas non plus d'intérêt au mur principal, sur lequel des écrans plasmas gigantesques diffusaient en permanence les émissions boursières et les journaux d'informations internationales. Quelques-uns d'entre eux étaient dédiés aux résultats du groupe – des compteurs y égrenaient sans jamais s'arrêter les chiffres et les cotations des diverses sociétés, mais Justin Case affectait de ne pas s'en soucier, au grand dam des associés qui siégeaient à ses côtés.

Il se sentit gagné par l'agacement et se fit violence pour ne pas lâcher un soupir empreint de lassitude. Il lui fallait tenir, encore un moment. Songer à son défunt père et à ses conseils précieux : « Sauver au moins les apparences, répétait Adrian Case à son fils unique, voilà ce qu'il convient de faire. Et confier les dossiers aux spécialistes qui sont capables de les gérer au mieux. »

Un léger sourire se dessina sur les lèvres de Justin Case. Par le passé, Adrian ne manquait jamais une occasion de minimiser ses qualités. C'était pourtant un homme d'affaires exceptionnel, qui avait su construire, pierre après pierre, un empire colossal.

– Et ton tour viendra ! assurait-il à son fils chaque fois qu'ils évoquaient ensemble son avenir radieux.

Un nuage sombre passa sur les prunelles de Justin.

L'avenir…

Justin Case avait été rattrapé par le futur bien plus vite qu'il ne l'avait imaginé. Suite à un brutal coup du sort, il s'était retrouvé à la tête d'une multinationale sans s'y être vraiment préparé.

Mais qui aurait pu prédire une telle tragédie ?

Qui pouvait envisager l'inimaginable ?

Quelqu'un s'éclaircit la gorge avec insistance, ramenant le jeune homme à la réalité. Pris en faute, Justin se redressa. Il plongea son regard dans celui de Manfred « Manny » Montana.

– Puis-je ? demanda l'homme au complet bleu clair en se levant devant un tableau couvert de chiffres et de courbes.

Justin Case ignora l'ironie du ton de son interlocuteur. Manny était un élément indispensable du Conseil, un homme d'affaires extrêmement performant, jouissant d'un poste clef au sein du Directoire. Il fallait le lui reconnaître, le personnage avait de nombreuses qualités… mais il était prompt à s'énerver. Au vrai, il ne supportait pas que l'on ne boive pas ses paroles.

– Je vous en prie, répliqua Justin en l'invitant d'un geste à poursuivre.

Il s'abstint d'ajouter « vous êtes d'ailleurs grassement payé pour cela », mais les mots lui brûlaient les lèvres. Il n'écouta cependant pas davantage le discours qui suivit, préférant se couper de la réalité et songer à ce nouveau dossier qu'il avait décidé de prendre en charge.

Justin passa une main sur sa poitrine, vérifiant à travers la veste que son smartphone ne vibrait pas.

Le téléphone demeurait sage.

Aucun message de Sonny Boy.

Pour le moment.

Mais l'attente était insupportable et Justin sentit que sa patience aurait sous peu atteint ses limites. La climatisation maintenait une fraîcheur agréable dans la pièce, mais le jeune homme avait la désagréable sensation d'étouffer. D'un doigt, il dénoua un peu sa cravate. En pure perte : il bouillait toujours… N'y tenant plus, il se leva et fit quelques pas en direction de la baie vitrée d'où il se plut à contempler Manhattan.

Dans son dos, Manfred Montana s'était interrompu, stupéfait par l'attitude désinvolte du jeune PDG. Sans même se retourner, Justin esquissa un petit mouvement de la main :

– Surtout, Manny, poursuivez. Je vous écoute, n'ayez crainte.

Manfred Montana manqua s'étrangler sous l'effet de la colère, mais il ravala sa rage et reprit son laïus.

Comme il fallait s'en douter, Justin n'écouta pas davantage. Les réunions du Conseil d'administration l'ennuyaient au plus haut point et il luttait depuis deux heures pour ne pas s'endormir dans son confortable fauteuil de direction. Il revint à sa place à pas comptés, se laissa tomber sur son siège de cuir, leva les mains au niveau de son visage et croisa les doigts. Il espérait ainsi adopter une posture traduisant sa concentration, mais n'abusa nullement Matthew Slides, qui siégeait à sa droite.

L'ancien avocat, grand ami de son défunt père, lui adressa un discret clin d'œil, un geste complice dont il le gratifiait depuis qu'ils se connaissaient – depuis toujours, pour être précis.

Justin accusa réception d'un mouvement du menton. Il demeura un moment fasciné par Slides, qui ne se départissait pas de son sourire. Matthew Slides échappait définitivement aux archétypes des membres du Conseil. Personne n'aurait su dire quel âge il avait réellement : sans doute le dandy avait-il passé la soixantaine, mais il affichait un incroyable costume sombre, doublé de toute la panoplie du parfait gothique – canne à pommeau, chemise sombre, ongles peints –, qui lui conféraient des allures de Marilyn Manson à peine vieillissant. Seule une étude attentive permettait de distinguer les très légères ridules qui cernaient les yeux et les lèvres de Matthew. Pour le reste, l'ancien avocat mettait un point d'honneur à mener une vie nocturne, à écouter des disques de rock qui réjouissaient Justin (il ne se passait pas une semaine sans que Matthew lui fasse partager une de ses découvertes en la matière) et horrifiaient les autres membres du Directoire.

« Il ne changera jamais ! ricanait-on dans son dos. À son âge ! Il pourrait avoir la décence de se comporter en homme responsable ! »

Justin Case ne commentait jamais de tels propos… tout en priant pour que jamais, au grand jamais, Matthew Slides ne change.

Quand ils évoquaient ensemble les réactions outrées des dirigeants de la multinationale, Matthew laissait entendre un rire discret, avant de chasser de la main une mouche imaginaire :

– « À te regarder, récitait-il alors, ils s'habitueront. »

C'était l'une des citations du poète René Char qu'il préférait. Sous ses costumes ahurissants de rocker décadent, Matthew Slides était un véritable érudit, passionné de littérature américaine et de poésie française, qui ne manquait jamais une occasion de parfaire l'éducation de son protégé.

– Souviens-toi, ajouta-t-il un jour en plongeant les yeux dans ceux de Justin, que tu ne dois JAMAIS devenir ce que les autres voudraient que tu sois. René Char l'avait compris, lui. J'ai fait mienne l'une de ces citations sublimes : « Il n'y a que deux conduites avec la vie : ou on la rêve, ou on l'accomplit. »

Justin esquissa un sourire. Il cilla très légèrement et s'arracha à sa contemplation. Sphinx immobile, Matthew l'observait en silence.

Faisant contre mauvaise fortune bon cœur, le jeune homme parvint, au prix d'un formidable effort, à se focaliser sur le discours abscons dont ne lui parvenait qu'un murmure brouillon depuis un moment.

Héritier de l'empire paternel, Justin Case en était devenu le PDG. En tant que tel, il se devait d'assister à ces réunions... mais les séances interminables au cours desquelles on débitait des chiffres, on échafaudait des stratégies marketing, on comparait des résultats et on décidait des options futures ne l'intéressaient guère.

Justin étudia la silhouette dressée à l'autre extrémité de la longue table du Conseil. Manfred Montana, le responsable des actions boursières du groupe, achevait son exposé, certes érudit, mais aux allures de *pensum* particulièrement indigeste.

« En clair, songea Justin, *il commence à me gonfler.* »

Puis, imitant les intonations d'Adrian, il ajouta in petto :

– Mon grand, il est temps de réagir !

Cédant à une impulsion, il se leva de nouveau, déclenchant une salve de réprobations étouffées. Ces messieurs du Directoire s'offusquaient de la réaction du gamin impétueux qui leur tenait tête depuis sa prise de fonctions – mais qui se serait avisé de formuler ouvertement une critique à l'encontre du patron, surtout en sa présence ?

Justin dévisagea un à un tous les membres du Conseil.

– Messieurs, déclara-t-il tout en se dirigeant vers la sortie, cette réunion est, comme à chaque fois, passionnante. Hélas, d'autres affaires tout aussi passionnantes exigent ma présence et je vais devoir vous abandonner.

Il rejoignit Manfred Montana et posa une main sur son épaule pour ajouter :

– Nul doute, cependant, que vous saurez mener cette lourde tâche à son terme sous la direction de notre précieux Manny. Je compte sur vous pour continuer à faire de l'excellent travail.

– Mais... s'offusqua Manfred Montana. Mais, enfin ! Il ne faut... On ne peut pas...

Justin lui décocha un sourire désarmant :

– Et si, mon bon Manny : ON PEUT. La preuve...

Décontenancé, Manfred chercha du soutien parmi l'assistance :

– C'est une assemblée générale, qui exige...

– Que chacun fasse son travail, le coupa Justin. Et vous faites le vôtre à la perfection.

Il se pencha vers Montana et souffla à son oreille :

– C'est d'ailleurs pour ça que JE vous paye. Tout comme mon père vous a toujours payé. Grassement. N'est-ce pas ?

Les joues de Montana s'empourprèrent. Il baissa la tête et demeura muet. Satisfait, Justin claqua dans ses mains et reporta son attention vers les membres du Conseil :

– Messieurs, n'allez pas vous imaginer que je me défile. J'étudierai avec la plus grande attention le compte rendu de la réunion et chacun d'entre vous recevra mes commentaires détaillés dans les plus brefs délais. (Il consulta sa montre avant de conclure.) Mais une affaire de la plus haute importance exige mon départ sur l'heure. Je vous laisse donc à vos obligations en compagnie de Manfred Montana et de mon bras droit, Matthew Slides.

Il ponctua sa tirade d'un bref signe de tête et tourna les talons.

Il avait eu le temps d'apercevoir, aux limites de son champ de vision, le visage fermé de Matthew Slides et son expression réprobatrice.

Cette fois, l'homme de confiance ne souriait pas.

Justin en eut un léger pincement au cœur : Matthew était l'homme le plus bienveillant de la terre, mais il ne dérogeait jamais aux sacro-saintes règles du travail…

Sitôt passée la porte de la salle du conseil, il s'empara de son smartphone et lança la commande vocale :

– Carter-Lee.

La sonnerie ne tarda pas à se faire entendre. Son correspondant décrocha deux secondes plus tard :

– Services des sports du Vatican? fit Helena.

Justin ne put contenir un sourire en l'entendant. La voix de la jeune femme était à la fois douce et ferme, comme toujours.

– Désolé, Helena, s'excusa-t-il après avoir en vain cherché une répartie, mais j'ai fini plus tôt que prévu. Pouvons-nous nous retrouver au building d'ici quelques minutes ?

– Je suis dans le hall.

Justin pénétrait dans l'ascenseur privé qui reliait le rez-de-chaussée du gratte-ciel à la salle de réunion et au penthouse qu'il occupait depuis quelques mois. Les habitants de New York parmi les plus aisés étaient tous à la recherche de ces appartements somptueux, perchés au sommet des immeubles et depuis lesquels on accédait aux toits ou à une immense terrasse. Justin, chanceux parmi les chanceux, disposait des deux. Il rejoignait son repaire par une cabine de métal, exclusivement réservée à son usage personnel et à celui de ses invités – membres du Directoire compris.

– Justin ? interrogea Helena.

– Oui ?

La porte de l'ascenseur se refermait.

– Tu préfères la voiture ou l'hélicoptère ?

– La voiture, Miss. Nous allons rendre visite à Sonny Boy.

– Ok. Dans ce cas, je serai devant l'entrée.

Elle lâcha un petit rire de gorge et ajouta :

– Ça faisait un moment que je n'avais pas conduit la Maserati. Coooool !

– Parfait, conclut-il avec satisfaction. Merci, Helena.

– Elle vous en prie, Monseigneur.

Justin raccrocha. Il hocha la tête, ravi.

Helena était parfaite. Avec juste ce qu'il fallait d'insolence pour toujours le remettre à sa place. Elle avait été recrutée par Matthew Slides, qui la lui avait présentée en glissant, perfide :

– Surtout, mon garçon, n'en tombe jamais amoureux : elle te tuerait…

Justin avait appliqué le conseil à la lettre. Helena était son chauffeur, son pilote, son garde du corps à l'occasion. L'une de ses meilleures amies, aussi. Certes, elle travaillait pour lui, mais les deux jeunes gens avaient su, au fil du temps, développer une véritable amitié.

Justin remisa son smartphone dans la poche intérieure de sa veste. Il y récupéra son carnet et consulta ses dernières notes.

Le cas qui le préoccupait demandait qu'on agisse vite et bien.

C'était une question de vie ou de mort…

Celle d'un dénommé Lamar Dawson.

Chapitre 2

Comme il fallait s'y attendre, le robot miniature avait détecté les mouvements aux alentours de la propriété. Dans un chuintement feutré, il s'orientait pour faire le point sur les visiteurs. Les capteurs qui l'équipaient étaient si sensibles qu'une souris n'aurait pas pu se faufiler dans le périmètre sans être aussitôt localisée. Helena n'avait pas eu le temps de se présenter devant la grille qu'elle avait été repérée. L'œil mécanique ne la quitterait plus. Le robot calqua son allure sur celle des visiteurs.

Sans même fixer son objectif, la jeune femme adressa un petit signe de main amical au robot.

– C'est nous, Sonny Boy! lança-t-elle gaiement, avant d'ajouter en désignant Justin d'un mouvement de pouce appuyé: Désolée de venir te harceler, mais le *big boss* veut te voir.

Justin arrivait à son tour devant l'antre du *hacker*.

Ils avaient abandonné la voiture en contrebas de l'allée, après avoir traversé New York sans encombres – une prouesse, à cette heure, mais Helena connaissait Manhattan sur le bout des ongles et faisait montre de talents de pilote incroyables. Passé le pont, ils s'étaient engagés sur l'autoroute, puis avaient bifurqué au niveau du célèbre *New Jersey Turnpike*, l'échangeur principal de l'État.

Empruntant ensuite les routes de traverse, ils avaient roulé à tombeau ouvert pour rejoindre au plus vite la bourgade côtière où Sonny Boy avait élu domicile. Fuyant New York et sa frénésie permanente, le hacker avait choisi une ville sans histoires, où il s'était offert une grande maison, au cœur d'un parc arboré ceint d'une haute clôture. Il avait ensuite déployé l'éventail de ses talents pour sécuriser l'endroit et l'adapter à ses besoins. À présent, son repaire était plus difficile d'accès que Fort Knox et la Banque fédérale des U.S.A. réunis…

Justin, à son tour, agita la main en direction de la caméra. Il soupçonnait que ce geste était inutile : à n'en pas douter, d'autres objectifs, invisibles ceux-là, devaient les fixer et les identifier.

En écho à ses pensées, un léger déclic retentit et la grille s'ouvrit.

Helena, comme à l'accoutumée, précéda Justin dans l'allée. Elle lançait des regards furtifs de droite et de gauche, en direction des bosquets drus qui bordaient le chemin. On avait beau être chez Sonny Boy, la jeune femme ne dérogeait jamais à la sécurité…

Alors qu'ils passaient la lourde grille, une voix métallique se fit entendre :

– Helena Carter-Lee. Identification terminée. Justin Case. Identification terminée. Bienvenue.

Ils remontèrent l'allée impeccable, bordée de haies parfaitement taillées.

– Notre ami dépense un fric fou en jardiniers… soupira Helena.

– Ça m'étonnerait, la contredit Justin. Personne d'autre que nous ne passe jamais la grille – même les livreurs déposent les commandes à l'entrée. Je soupçonne plutôt Sonny Boy d'avoir voulu expérimenter un nouveau type de robots gardiens.

Helena hocha la tête. Justin avait probablement raison. Sonny Boy ne quittait quasiment jamais la maison. Si d'aventure cela avait été le cas, le chemin recouvert de graviers aurait dû porter la trace des roues de son fauteuil…

Ils atteignirent enfin la grande maison aux murs de bois peints en blanc, gravirent les quelques marches qui menaient à son perron et s'arrêtèrent devant la porte.

– Salut vous deux ! fit la voix grave de Sonny Boy. Entrez. Ne marchez que sur les dalles blanches, je vous attends au premier étage. Prenez l'ascenseur.

La porte s'ouvrit automatiquement.

Justin constata avec satisfaction que Sonny Boy avait employé fort à propos les importantes sommes d'argent qu'il avait mises à sa disposition. La maison était splendide et sa sécurité maximale. L'accès en était facilité pour permettre au colosse de s'y déplacer – Sonny Boy avait été victime d'un terrible accident qui le clouait depuis dans un fauteuil roulant. Chaque escalier était ainsi flanqué d'une rampe et le premier étage, comme les combles, étaient desservis par des ascenseurs assez larges pour accueillir le colosse paralysé.

Le hall d'entrée était vaste et son sol dallé de blanc et noir.

Helena et Justin suivirent scrupuleusement les instructions de Sonny Boy, évitant avec soin d'effleurer la moindre dalle noire.

La maison recelait des pièges destinés à repousser les assaillants de toutes sortes. Aucun des deux visiteurs ne se serait risqué à braver les interdits dans le repaire du hacker.

Ce dernier n'était pas paranoïaque pour autant : il consacrait sa vie à la recherche informatique et avait réuni, à l'étage, un laboratoire d'une valeur inestimable. Il n'était pas question que quiconque d'autre que lui y ait un jour accès. Nul ne savait ce que de tels trésors d'informations pourraient obtenir comme résultats navrants dans les mains de personnes mal intentionnées…

Parvenus au bout du hall, Helena et Justin prirent place dans l'ascenseur qui les conduisit au premier étage.

– Suivez la bordure de la moquette, fit aussitôt la voix de Sonny Boy, relayée par les hauts parleurs dispersés dans toute l'habitation. Côté bleu marine.

Helena et Justin s'exécutèrent docilement.

– Je le soupçonne de s'amuser à nous observer, souffla Helena. La moquette n'est pas piégée.

Elle se mordit l'intérieur des joues quand la voix de Sonny Boy reprit :

– Procès d'intention, ma jolie ! Essaye donc, pour voir…

– On dépose les armes ! coupa Justin en faisant un signe d'apaisement. On va faire comme tu dis, mais mets-toi une seconde à notre place, *Sonic* Boy !

Le rire franc du hacker lui répondit :

– Mets-toi un peu à la mienne, *playboy* ! J'échange mon fauteuil contre tes jambes valides !

Justin rit à son tour. Il n'y avait pas le plus petit soupçon d'amertume dans le ton de Sonny, qu'il était le seul autorisé à surnommer *Sonic*, en hommage aux jeux vidéos qu'ils avaient pratiqués à outrance, quand ils étaient plus jeunes.

Helena et Justin atteignirent enfin le laboratoire de Sonny Boy.

Ils pénétrèrent dans une salle immense, occupant la quasi totalité de la surface de la maison. Les murs en étaient aveugles – aucune ouverture n'y était percée – mais, contre toute attente, on n'y ressentait nulle sensation d'enfermement. Sans doute la hauteur sous plafond y était-elle pour beaucoup. La multitude d'écrans et d'ordinateurs ronronnant occupait également l'esprit des visiteurs.

Actionnant avec vigueur les roues de son fauteuil, Sonny Boy vint les accueillir. Il serra la main de Justin et attendit que Helena se penche pour déposer des baisers claquants sur ses joues.

– Tu as trouvé de nouveaux éléments ? interrogea Justin sans autre préambule.

– Yep ! lança joyeusement le colosse en retournant à son poste de commande. Approche.

Il pianota sur l'un des claviers et désigna l'un des écrans panoramiques fixés au mur.

– Tadaaaam ! claironna-t-il.

L'image, récupérée depuis une des caméras de surveillance de la rue, montrait une ruelle sordide des bas-fonds de Harlem.

– Caméra municipale, commenta Justin à voix basse. Matériel confidentiel, réservé à l'usage de la municipalité et des services de police.

– Exact, confirma Sonny Boy. Mais tu ne diras rien, n'est-ce pas ?

Il n'attendit pas confirmation et ajouta :

– C'est un enregistrement réalisé sur les lieux des deux crimes.

– On a les images des assassinats ? s'étonna Helena.

Sonny Boy secoua la tête dans la négative :

– Non, tu t'en doutes. J'ai piraté le serveur du N.Y.P.D. pour les récupérer. On ne voit pas grand-chose, à part l'arrivée de ce véhicule…

Il pointa du doigt un vieux modèle de Ford qui s'engageait dans la ruelle, puis pianota à nouveau sur son clavier pour accélérer le défilement des images.

– … et son départ, quinze minutes plus tard. Dans l'intervalle, deux hommes ont été assassinés.

– On ne distingue pas le conducteur, fit remarquer Helena.

– Exact, mon petit cœur, s'amusa Sonny Boy sans se soucier du regard meurtrier que la jeune femme lui retournait. Et on ne l'identifiera jamais. J'ai essayé tous les logiciels pour récupérer une image exploitable, mais l'angle de prise de vue ne permet pas d'obtenir le visage du conducteur.

– En revanche, nota Justin après s'être approché de l'écran, c'est bien la voiture de Lamar Dawson.

– Même modèle, même immatriculation, corrigea le hacker. De là à affirmer que c'est sa voiture, il y a de la marge. En revanche – ce qui ne plaide pas en sa faveur ! – ce sont bien ses empreintes qu'on a retrouvées sur l'arme du crime, abandonnée dans une poubelle aux alentours.

– Sa voiture ? Ses empreintes ? s'insurgea Helena. Ça signifie qu'il est coupable, non ?

Sonny Boy secoua lentement la tête :

– Pas de conclusions hâtives, madame le Juge. Nous irions droit à l'erreur judiciaire…

– Toi, s'amusa Justin, tu as des éléments nouveaux !

Le visage du géant se fendit d'un sourire éclatant :

– Attends de voir et tu vas comprendre !

Tandis qu'il parlait, ses doigts entraient une nouvelle série de codes sur le clavier.

Sur le mur, les écrans plasma s'animèrent.

Justin émit un sifflement admiratif.

– Waow ! le félicita-t-il. Joli coup, Sonic Boy !

Chapitre 3

Wesley Knight pianotait nerveusement sur le comptoir. Installé au bar, il oscillait sur un tabouret. Devant lui, les deux verres qu'il avait vidés. Deux whiskys sans glaçon, avalés d'un trait sous le regard morne du barman. Wesley s'interrompit pour lancer un regard interrogateur à l'horloge fixée au mur. Il vérifia à sa montre, et dut se rendre à l'évidence : son contact ne serait pas ponctuel, ce qui ne laissait rien présager de bon.

Il résista à l'envie de commander un troisième *scotch*. Le liquide ambré avait déjà rempli son office : après lui avoir brûlé la gorge, il avait chassé une partie du stress qui lui oppressait la poitrine… mais Wesley n'ignorait pas la règle la plus importante du métier.

Il fallait, en toutes occasions, garder les idées claires et disposer de tous ses réflexes. Les réflexes, la concentration : c'était tout ce qui comptait quand on évoluait dans son milieu. Ceux qui baissaient la garde, ou se pensaient au-dessus de ces élémentaires précautions, finissaient au fond du fleuve ou dans un caniveau.

Wesley soupira avec agacement. Il descendit de son perchoir et fila aux toilettes. Il s'enferma dans l'une des cabines, saisit le revolver glissé dans sa ceinture et vérifia d'un geste fébrile que le barillet était bien garni. Cinq balles de gros calibre, une chambre laissée libre pour le percuteur. Une autre règle, là encore. Avec un grognement satisfait, il replaça l'arme dans son dos et s'assura que la ceinture retenait bien le calibre .38 contre ses reins.

Il quitta ensuite son refuge et s'aspergea le visage au-dessus du lavabo avant de s'éponger en usant d'une multitude de serviettes en papier. Il s'observa un instant dans le miroir. Il se tenait voûté, comme la plupart des grands gabarits. S'il s'était redressé, il aurait probablement dépassé la plupart de ses congénères d'une bonne tête, mais Wesley répugnait à toiser ses interlocuteurs. De plus, en bon professionnel, il savait que les attitudes mentent plus facilement que les regards. Il s'efforçait donc, la plupart du temps, de se tasser pour amoindrir son gabarit d'Hercule. Quand il eut terminé sa rapide inspection, il étudia, non sans inquiétude, ses traits creusés par l'insomnie et les angoisses qui l'assaillaient depuis quelques jours.

Il s'ébroua en serrant les dents.

« Allez, se dit-il avant de retourner dans la salle, tout sera bientôt terminé. Tu vas empocher le pactole et tu quitteras cette maudite ville avec de quoi t'installer dans un autre État. Terminés, les petits coups minables. Personne ne retrouvera jamais ta trace. On aura vite oublié Wesley Knight ! »

Quittant les néons violents des toilettes, il plissa les paupières en retrouvant la pénombre du bar. Wesley manqua coasser de surprise en constatant que son contact l'attendait, accoudé au comptoir.

Il leva la main, dans un geste de salut presque martial :

– Hey ! lança-t-il, faussement désinvolte. Je ne t'attendais plus !

L'autre leva un doigt pour effleurer le bord de son chapeau beige. Il fixait Wesley de son regard sombre.

Ce dernier ralentit l'allure.

– Salut, Wesley ! grinça l'homme. Tu sembles nerveux, l'ami...

Wesley retint sa respiration. Tous sens aux aguets, il balaya le décor des yeux. *Quelque chose ne tournait pas rond.*

Il comprit soudain que le barman n'occupait plus son poste derrière le comptoir et glapit en constatant que la pièce était vide. Les rares clients avaient quitté les lieux.

Affolé, Wesley plongea la main dans son dos, ses doigts se refermèrent sur la crosse de son revolver.

– Relax ! ordonna son interlocuteur. Nous avons à parler de choses importantes…

– Où est le barman ? coupa Wesley d'une voix rogue.

L'autre ne se départit pas de son calme. Il se contenta de poursuivre :

– … et nous n'avons pas à être entendus, tu ne crois pas ?

Wesley hésitait toujours.

Il renifla, méfiant.

– Lamar Dawson sera exécuté à la fin de la semaine, reprit l'homme au chapeau beige. Et cette histoire sera enterrée avec lui.

Wesley hocha lentement la tête.

Il lâcha la crosse de son arme.

– Excuse-moi, bredouilla-t-il. Je… je suis trop nerveux.

– On peut le dire ! s'esclaffa l'homme accoudé au bar. Mais il n'y a plus rien à craindre. Je te le répète : cette histoire sera bientôt oubliée.

Il eut un sourire carnassier et ajouta :

– Tout comme toi.

Wesley tressaillit.

Il voulut dégainer son arme mais se figea en identifiant le cliquètement métallique de la culasse d'un pistolet dans son dos.

– Bouge pas, souffla quelqu'un à son oreille, ou ta tête explose.

Wesley leva les mains. Les yeux rougis, il contempla l'homme au chapeau beige.

– Pourquoi ? bégaya-t-il. J'ai fait exactement ce qu'on m'a demandé…

Depuis le bar, chapeau beige eut un geste las :

– Rien de personnel, mon vieux, lâcha-t-il comme à regret. Mais tu sais ce que c'est, pas vrai ? Les affaires sont les affaires. Et les témoins gênants doivent être effacés.

Le cœur de Wesley fit un bond douloureux dans sa poitrine :

– Mais je ne dirai rien ! s'époumona-t-il. J'allais quitter la ville.

L'homme au chapeau beige descendait de son tabouret. Il ne lui prêtait plus attention et se dirigeait droit vers la sortie.

– Calme ! ordonna-t-il par-dessus son épaule. Ce sera rapide.

Il se ravisa, pivota sur lui-même et adressa un clin d'œil à Wesley :

– On se revoit en enfer, ricana-t-il.

Ce furent les derniers mots que Wesley Knight entendit.

Chapitre 4

Sonny Boy se cala contre le dossier de son fauteuil roulant avec un soupir de satisfaction. Il tendit l'un de ses bras musculeux et attrapa sur le bureau son ballon de cuir. C'était l'un des rituels de l'ancien champion de football américain, quand il était heureux. Il s'amusa à faire tourner l'œuf de cuir entre ses doigts puissants.

– Alors ? demanda-t-il sans quitter l'écran des yeux.

Justin lui posa une main amicale sur l'épaule :

– Monsieur Noland, déclara-t-il avec emphase, nous devons admettre une fois encore que vous êtes le meilleur dans votre spécialité.

– Joli coup, effectivement, renchérit Helena. Comment as-tu procédé ?

Sonny Boy eut une mimique faussement humble.

– Je n'ai pas fait grand-chose. Je suis parti du principe que le double meurtre avait été préparé avec soin. Oublier la présence des caméras était une erreur grossière.

Justin grogna son assentiment. Encouragé à poursuivre, Sonic développa :

– En admettant l'hypothèse que Lamar Dawson est innocent…

– Il l'est ! martela Justin. J'en suis convaincu.

– Ça reste à prouver, soupira le hacker. Je veux bien t'y aider, si tu ne m'interromps pas toutes les vingt secondes…

– Désolé. Je t'écoute.

– Si Dawson est innocent, reprit Sonny Boy, il n'était pas présent au moment des faits. L'heure de passage de la voiture ne correspond donc pas forcément à l'heure supposée du crime. Partant de cette réflexion, il m'a suffi de pirater les autres caméras du quartier et de croiser les résultats.

Justin se pencha vers l'écran, sur lequel on voyait distinctement un homme quitter le bâtiment par une porte située à l'arrière.

– Il a l'air nerveux, commenta-t-il en étudiant les traits tirés du suspect.

– Il peut l'être ! s'esclaffa Sonny Boy. Attends de voir la suite.

Ses doigts entrèrent une nouvelle série de codes sur le clavier et d'autres images jaillirent à l'écran.

On pouvait y voir le mystérieux visiteur, muni de gants, se débarrasser d'un revolver dans une poubelle à deux pâtés de maisons de là.

– C'est bien notre coupable ! sifflota Justin. L'affaire est réglée.

– Trop facile, marmonna Helena. Il y a quelque chose qui cloche… On n'a même pas un mobile pour les meurtres et le juge exigera un dossier solide pour reprendre l'instruction.

Justin ne tint pas compte de sa remarque.

– Tu peux l'identifier ? insista-t-il.

Sonny Boy dodelina de la tête en un mouvement de reproche :

– Parce que tu t'imagines que ça n'est pas déjà fait ? fit-il avec un sourire de vainqueur.

Son index pressa la touche « Enter » du clavier et l'un des écrans afficha la fiche signalétique d'un homme dont le pedigree judiciaire était conséquent.

– Wesley Knight, récita Sonny Boy. Condamné dans plusieurs états pour des délits mineurs – rixes, vols à l'étalage. Réfugié depuis quelques mois à New York City, où il est activement recherché pour des crimes plus sérieux. Notre client est soupçonné de complicité dans un trafic de drogue et de meurtres, mais on n'a pas pu prouver sa participation.

– Il faut croire qu'il a sauté le pas, murmura Justin en étudiant la photo du dossier de police comme s'il cherchait à l'imprimer dans un recoin de son cerveau. Tu sais comment le localiser ?

– J'ai lancé des programmes de veille qui filtrent toutes les infos de la police à son sujet. Ce brave Wesley ne pourra pas bouger une oreille sans que je sois averti de...

Une sonnerie l'interrompit.

L'un des écrans d'ordinateur affichait à présent une série de dépêches succinctes.

– Bingo ! fanfaronna Sonny Boy.

Il parcourut des yeux les nouvelles et se rembrunit.

– Et merde...

– Un problème ? l'interrogea Justin en levant un sourcil.

– On peut dire ça, fit le hacker en désignant l'écran du pouce. Wesley ne pourra pas être jugé dans l'immédiat.

Justin et Helena lurent à leur tour les nouvelles qui défilaient à l'écran. La jeune femme étouffa un juron quand elle localisa celle qui les intéressait.

– On lui a tiré dessus ! grimaça-t-elle. Ça signifie que...

– ... que nous sommes sur la bonne voie, acheva Justin Case. Mais que Lamar Dawson n'est toujours pas tiré d'affaire.

– Et pourquoi ? s'insurgea la jeune femme.

Sonny Boy jouait furieusement des maxillaires. Il réfléchissait, l'air sombre, et finit par lâcher :

– Les images que j'ai réussi à isoler ne suffisent pas. Elles prouvent tout au plus que ce n'est pas Lamar Dawson qui s'est débarrassé de l'arme du crime. Sans les aveux de Wesley Knight, on ne peut pas l'innocenter : même avec ces nouveaux éléments versés au dossier, le juge considèrera que les deux hommes étaient complices et que Lamar mérite toujours le châtiment suprême...

– Alors ? s'entêta Helena. On laisse tomber ?

Justin lui offrit son sourire le plus radieux :

– Sûrement pas. On va tout reprendre depuis le début. Et se poser les bonnes questions.

Il leva la main, écarta trois doigts lentement et énonca :

– Un : à qui avons-nous affaire ? Il nous faut étudier les dossiers complets de Wesley Knight et Lamar Dawson, afin de préciser leurs profils respectifs et établir d'éventuels liens. Deux : quel a été le *modus operandi*. Tant que nous n'aurons pas découvert de quelle manière l'assassin – ou les assassins – ont procédé, difficile de blanchir Lamar. Et enfin, trois…

Il marqua une pause et se tourna vers le colosse :

– Sonic ?

– À qui profite le crime ? s'écria le hacker. C'est l'éternelle question !

– Exact. Tu peux en apprendre davantage sur Wesley Knight ?

– Du genre ?

– A-t-il survécu ? Qui l'a agressé ?

– C'est comme si c'était fait.

Helena les dévisagea l'un après l'autre.

– Nous n'avons plus que quelques jours pour éviter le pire à Dawson, commença-t-elle, la mine sombre.

– Raison de plus pour ne pas traîner ! décréta Justin en claquant dans ses mains.

Il se tourna vers Helena avec un air de conspirateur et reprit :

– Voilà ce que nous allons faire…

Chapitre 5

Matthew Slides souriait en remontant Broadway. Ses lunettes rondes aux verres fumés, renvoyaient des reflets aveuglants aux passants qui, à l'approche de cet incroyable dandy d'un certain âge, tentaient de croiser son regard. Slides soupira d'aise. Il faisait beau, le soleil était haut dans le ciel, aucun nuage ne venait troubler ce moment de quiétude. Les vitres des immeubles copiaient le bleu du ciel, comme pour élever New York vers les cimes.

Quand il quittait le building de la C. & Son Company, à l'issue d'interminables palabres auxquelles il était parfaitement rompu, Slides délaissait sa voiture de fonction et son chauffeur. Il lui donnait rendez-vous aux abords de Central Park, et quittait à pied le centre des affaires pour retrouver Broadway. Il aimait longer la célèbre avenue, passant d'un bloc à l'autre et s'amusant d'y croiser des vendeurs à la sauvette, qui ne manquaient jamais de proposer des contrefaçons. À l'abri de ses lunettes, il détaillait les touristes chargés de paquets énormes aux ventres barrés des diverses marques qui faisaient la réputation de la ville. Matthew étudiait les étrangers en visite. Il jouait à retrouver leurs nationalités en surprenant quelques mots ici ou là, et notait les marques de leurs chaussures ou de leurs vêtements – le jeu était devenu délicat, tant la mondialisation et l'uniformisation allaient bon train ! On trouverait bientôt autant de *Starbucks* à Paris qu'à New York City ! Une jeune femme passa tout près de lui, un sac de la confiserie *Dylan's Candy Bar* – le paradis des enfants… et le cauchemar des dentistes – tenu contre sa poitrine. Matthew lui adressa un sourire reconnaissant en pointant le trésor sucré puis en levant le pouce pour la féliciter de ses achats. Il poursuivit sa promenade. Broadway était indescriptible pour quiconque n'en avait jamais foulé le trottoir. La gigantesque avenue serpentait depuis la pointe sud de Manhattan jusqu'en son centre. Elle constituait une vitrine de la ville, un sidérant mélange des genres. Matthew s'imaginait souvent que Manhattan était un ensemble de cubes gigantesques, qu'un dieu facétieux avait un jour mélangés pour construire Broadway : on passait ainsi, d'un bloc à l'autre, de secteurs presque sinistrés à des boutiques de luxe, de bâtiments sombres à des devantures aux allures de palais des Mille et une nuits. Et l'on y croisait toute la faune de New York.

Cette ville était en perpétuelle évolution. Elle ne dormait jamais et vibrait continuellement sous les pieds de ses habitants.

Matthew Slides, sans se soucier des mines interloquées de ses voisins, esquissa un pas de danse :

– New York, New York ! sifflota-t-il en adoptant des poses improbables avec sa canne à pommeau argenté.

Il s'enhardit et chanta d'une voix puissante les premiers mots de la chanson de Sinatra :

– *I want to wake up in a city that never sleeps, and find I'm king of the hill, top of the heap*[1] !

Revigoré par sa chorégraphie improvisée – et par les airs médusés des passants –, il accéléra le pas. La journée était belle, l'avenir s'annonçait radieux à n'en pas douter : la *C. & Son Company* tenait le haut du pavé et Justin, son protégé, était le roi de la colline.

Matthew revint vite à la réalité.

Si New York était son empire, Broadway en était le condensé : en toutes saisons, on devait y batailler ferme pour remonter le

[1] *« Je veux me réveiller dans une ville qui ne dort jamais/Et devenir le roi de la colline/En haut de l'affiche »*

flot des marcheurs qui participaient du rythme frénétique de la ville. L'homme à la canne dut à contrecœur adopter une allure plus propice. Il se raidit, accéléra le pas et reprit son étude.

On repérait toujours les touristes à leurs sourires béats et leurs têtes levées vers les sommets de la ville… ou par le besoin qu'ils éprouvaient au bout d'un moment, de masser leurs nuques tenaillées par un torticolis sournois.

La réunion s'était achevée sans heurt, ce qui était déjà une petite victoire. Une fois de plus, Justin avait cru bon de faire des siennes en quittant le Directoire avant la fin des débats. Manny Montana n'avait pas décoléré, mais il s'était abstenu de formuler le moindre commentaire déplaisant – il savait qu'en présence de Slides, cela lui était interdit. Il ignorait en revanche que tous ses persiflages de couloirs lui étaient rapportés et que Matthew s'en délectait.

L'ancien avocat, en vieux requin des affaires, savait qu'il ne fallait jamais attaquer un adversaire de front. Il convenait, au contraire, de réfréner ses instincts belliqueux pour ne frapper qu'à coup sûr. Quand on avait accumulé les dossiers à charge, par exemple.

Bientôt, Manny Montana l'apprendrait à ses dépens.

Slides marqua une pause quand il parvint sur Times Square. Il leva lentement le menton et se plut à observer les écrans géants qui clignotaient, tels une vitrine de Noël en plein été.

Il adorait cet endroit, où tout semblait pouvoir encore arriver.

Comme à regret, il piqua sur la gauche, abandonna Broadway dans son dos et remonta la 42ème rue. Il ralentit l'allure, leva sa canne à hauteur de son chapeau et se fendit d'une révérence en direction du *B.B. King Blues Club and Grill*, puis il s'arrêta au pied d'un immeuble, juste avant d'atteindre la 8ème avenue.

Il eut tout juste le temps de vérifier les plaques apposées devant la porte – c'était bien là que le cabinet indiqué par Justin avait ses bureaux – que son téléphone émit les premières notes lugubres de *Sweet Dreams*.

Matthew Slides attrapa son smartphone et sourit en apercevant l'icône sur l'écran. Justin le savait déjà sur place.

D'un geste précis du pouce, l'avocat fit taire Marilyn Manson tout en prenant la communication :

– Justin ? Je me disais qu'il y avait bien longtemps que nous n'avions assisté à un concert chez ce vieux B.B., toi et moi.

– Ça remonte effectivement à quelques années, s'amusa le jeune homme. 2004, je crois. Et c'était le Max Weinberg Seven. Nous y avions passé toute la soirée et assisté aux deux shows.

– Excellente mémoire. Décembre 2004. Max était très en forme. On conviendra d'une nouvelle date, toi et moi ?

– Ce sera avec plaisir… dès que nous en aurons terminé avec cette affaire.

– Bien entendu ! fit l'ancien avocat en pivotant sur lui-même et en levant le nez. Tu es sur quelle caméra ?

– Dans ton dos, expliqua Justin. Sonny Boy est chez lui, il t'a suivi depuis ta sortie de la tour. Je suis avec Helena, nous filons vers Harlem. Je peux te voir depuis l'écran du tableau de bord. Fais-moi plaisir, souris à la caméra. (Matthew Slides commença à pivoter sur lui-même, à la recherche de l'objectif.) Stop ! Lève un peu le menton. Là… Droit devant toi. Tu vois ?

– Je me doutais que tu me surveillerais, répliqua Matthew en levant sa canne vers le mouchard électronique qui couvrait la rue. Tu as vu ? Je n'ai pas traîné.

– Très belle chorégraphie ! ne put s'empêcher de railler Sonny Boy. Les passants de Broadway n'en sont toujours pas revenus.

– Je donne des cours, persifla en retour Matthew Slides. Avec ou sans fauteuil, les résultats sont garantis.

– Wow ! s'insurgea Sonny. Du calme, *old man*[2] ! Je plaisantais.

– Je sais, *sonny*[3]. Moi aussi, mon jeune ami.

– Bien ! intervint Justin, soucieux de calmer les esprits. Maintenant qu'on en a fini avec les civilités d'usage, on peut passer à l'application stricte du plan, messieurs ?

– Yep ! grommela Sonny Boy. Je vous suis sur écran. Je cherche davantage de renseignements sur Wesley Knight.

– Et moi, récita Matthew Slides, je rends une visite de courtoisie à un confrère. Et j'en apprends davantage sur Lamar Dawson.

[2] *Littéralement, « vieil homme ». L'équivalent américain de notre « papy ».*

[3] *Diminutif de son, sonny équivaut ici à « mon garçon » ou plus sûrement « gamin ».*

– Il va falloir couper. On est bientôt arrivé, trancha Helena.

– Parfait, conclut Justin. Nous allons effectuer quelques recherches à Harlem. Et nous vous recontactons ensuite, pour mettre en commun les découvertes de chacun.

Sitôt dit, il coupa la retransmission.

Chapitre 6

– Si le G.P.S. ne ment pas, on sera arrivé dans deux minutes, déclara Helena sans quitter la route des yeux. Il est temps de ranger ton matériel. Je suis certaine que tu ne voudrais pas qu'un méchant garçon te pique tes jouets.

Justin ne prêta aucune attention à l'ironie du propos – Helena ne perdait jamais une occasion de se montrer moqueuse. Pour l'heure, elle avait parfaitement raison. À contrecœur, le jeune homme s'exécuta. Il referma l'ordinateur portable avec lequel il avait communiqué en réseau avec ses amis.

La mise en garde d'Helena n'était pas fortuite : les vitres de la voiture avaient beau être opaques, mieux valait ne pas tenter les éventuels curieux qui, s'ils avisaient pareils trésors à bord du véhicule, risqueraient fort de se muer en voleurs. Les deux jeunes gens prenaient déjà un risque majeur en s'aventurant dans un quartier aussi populaire avec une voiture de luxe.

Justin avait soulevé la question, en partant de chez Sonny Boy.

– On pourrait se faire déposer en taxi, avait-il suggéré.

Helena avait réfléchi un instant en silence, avant de rendre son verdict :

– Hors de question. On ne sait absolument pas où on met les pieds. Si ça tourne mal, on repart comment ? Tu vas demander à un chauffeur de taxi de laisser tourner le moteur dans Harlem ? Dès que tu auras tourné les talons, le gars repartira sans demander son reste.

Justin n'avait pas objecté. Les questions de sécurité relevaient du domaine de compétence exclusif d'Helena et personne ne se serait avisé de mettre en doute son jugement.

Ils étaient donc venus à bord de la Maserati… mais il était inutile d'en rajouter.

L'une des premières leçons de Matthew Slides lui revint en mémoire : « L'argent, Justin – et ton père te l'a déjà dit par le passé ! – ne doit jamais être jeté à la face des gens. Certes, tu as le droit d'être riche, si tu te fais un devoir de ne pas l'étaler. Garde cela à l'esprit et tu pourras aller partout sans te soucier de qui tu es… mais sans jamais l'oublier non plus. »

Justin soupira.

Oublier qui il était ?

Oublier d'où il venait et ce qu'il avait vécu ?

Il y avait peu de chances que cela arrivât un jour !

Observant scrupuleusement les recommandations de son amie, il remisa le précieux matériel dans la boîte à gants.

Il se radossa ensuite et sourit aux anges en songeant aux rapports faussement conflictuels entretenus avec soin par Sonny Boy et Matthew Slides. À n'en pas douter, ces deux-là s'appréciaient, mais ils ne pouvaient s'empêcher de se chamailler. Entre eux, tout devenait prétexte à engager une joute verbale.

– À quoi tu penses ? interrogea Helena tout en achevant la manœuvre. Tu m'as l'air soucieux, pour un playboy milliardaire !

– Matthew et Sonny Boy, fit Justin, laconique.

– Oh… *Je vois.*

Helena n'insista pas.

Depuis qu'elle avait intégré l'équipe, la jeune femme conservait ses distances. Elle faisait montre d'un caractère trempé, mis au service d'un code de l'honneur digne des samouraïs : elle s'interdisait tout commentaire à l'encontre de ses membres – mais ne se privait jamais de leur faire remarquer que quelque chose clochait, le cas échéant.

Elle n'ignorait rien des sentiments de Sonny Boy à son égard, et renvoyait gentiment le garçon dans les cordes. Si d'aventure il se faisait trop insistant, le ton changeait. Jusqu'à devenir redoutable…

Le bruit du frein à main ramena Justin à la réalité.

– Prêt ? l'interrogea Helena en chaussant une paire de lunettes noires.

Justin effaça aussitôt le sourire qui lui barrait le visage.

– Oui, confirma-t-il.

Il parodia un salut martial et ajouta :

– À vos ordres, chef !

Helena sortit la première dans l'air brûlant.

– *Showtime* ! souffla-t-elle à destination de son compagnon.

Justin Case descendit à son tour. À peine eut-il pris pied sur le trottoir qu'il sentit que sa chemise lui adhérait au torse. Il réprima une grimace. Comparé à l'habitacle climatisé, le quartier était une fournaise.

Levant une main en visière au-dessus de ses yeux, Justin s'accorda un regard circulaire. La voiture était garée le long du trottoir, en plein soleil, face à la devanture d'un bar de Harlem dont il reconnut aussitôt le nom : il s'agissait de l'endroit où le double meurtre avait été commis. L'adresse avait été trouvée par Sonny Boy. Justin était persuadé qu'ils y trouveraient des éléments de réponses à leurs nombreuses questions.

Personne, dans le quartier, n'avait pu ignorer leur arrivée. Et ce type de véhicule y était aussi incongru qu'un char romain antique au départ d'une compétition d'*Indy Car*[4].

Justin passa machinalement les doigts sur sa poitrine, pour vérifier que son smartphone était bien dans la poche intérieure de sa veste, côté cœur. Rassuré, il poursuivit son étude des alentours.

Quelques véhicules hors d'âge étaient alignés, de part et d'autre de la Maserati aux vitres fumées. Le bolide détonnait dans ce décor, qu'on aurait juré tout droit sorti d'un film des années cinquante.

[4] *L'Indy Car est un championnat automobile américain, dont la plus célèbre épreuve – qui a donné son nom à la spécialité – est Les 500 Miles d'Indianapolis.*

Une bande de gamins, qui jouaient non loin, s'était figée à l'approche du véhicule. Justin dénombra une douzaine de garçons, la plupart adolescents. Quelques remarques acides avaient fusé à l'apparition des deux étrangers, mais un silence lourd était vite retombé sur le petit groupe. Sans un mot, ils dévisageaient les passagers de la « caisse de riches » qui venait de se parquer sur leur territoire.

– Sympa, l'accueil ! fit remarquer Helena. On devrait venir plus souvent dans le coin, je suis certaine qu'on se ferait un tas d'amis encore plus vite que sur *Facebook*...

Elle agita la main vers les enfants.

– Salut ! lança-t-elle avec un large sourire.

Elle n'obtint aucune réponse et renonça à sympathiser.

Sans se formaliser pour autant, Justin s'approcha de la vitrine du bar. C'était un endroit sombre, apparemment peu fréquenté. Difficile d'en juger toutefois, tant le soleil se reflétait sur le carreau. En plissant les paupières pour lutter contre l'aveuglement, il distingua quelques silhouettes au fond de la salle.

– On y va ? interrogea-t-il par-dessus son épaule.

– On n'a pas fait tout ce chemin pour repartir maintenant, répondit Helena à mi-voix.

Mue par son sixième sens, elle ne quittait plus les gamins des yeux.

– Ils préparent quelque chose, souffla-t-elle.

Comme pour lui donner raison, l'un d'eux – un adolescent solidement bâti qui devait avoir une quinzaine d'années – siffla entre ses doigts et ramassa sur le sol un ballon de football américain. Il fit rouler son impressionnante musculature et lança quelques ordres brefs dans le jargon des footballeurs. Les autres partirent en tous sens, couvrant en un clin d'œil tout le périmètre. Celui qui tenait le rôle de *quarterback*[5] détendit le bras, envoyant une véritable bombe qui fendit l'air en tournoyant.

Helena libéra un sifflement de connaisseur.

– Waow ! Le gosse a du talent... commenta-t-elle.

[5] *Meneur de jeu au football américain, le quarterback est la pièce maîtresse de l'attaque.*

Elle s'interrompit en réalisant que le lanceur avait visé la voiture. Partout dans la rue, les garçons couraient, mains levées pour réceptionner le ballon. Comme il fallait s'y attendre, l'obus de cuir retomba droit sur la Maserati. Un des receveurs le saisit au vol, juste avant qu'il frappe la portière gauche du véhicule.

Au terme d'une série de courses frénétiques, les gamins cernaient le véhicule.

Helena se raidit :

– Bien joué ! murmura-t-elle avec une pointe d'admiration. Je ne l'ai pas vue venir, celle-là.

Le visage fermé, elle rebroussa chemin.

– Tu fais quoi ? s'enquit Justin, inquiet de la voir piquer sur le groupe.

– Ne t'en fais pas. J'en ai pour une seconde.

Il l'observa tandis qu'elle approchait de la bande qui la toisait avec des attitudes de défi. Loin de se laisser impressionner par ces adolescents aux bras croisés et aux mentons pointés sur elle, Helena s'accroupit devant eux. Elle s'assura qu'ils la regardaient tous avant de leur parler à voix basse.

Justin ne pouvait pas entendre un mot de son discours.

Il constata avec stupéfaction que les garçons hochaient la tête avec des airs entendus. Le plus vieux finit par tendre la main et Helena claqua sa paume contre la sienne.

Elle tourna aussitôt les talons et rejoignit Justin avec un air satisfait.

– Tu leur as dit quoi, au juste ? demanda le jeune homme.

– J'ai promis vingt dollars au chef, si personne ne touchait à la voiture.

– Et si ça n'est pas le cas ?

– J'ai prévenu que je découperais tous les responsables en lanières, sans hésiter. Gamins compris.

Justin ne put réprimer une moue amusée :

– C'est un peu extrême, non ?

– C'est efficace. Et c'est pour ça que tu m'as embauchée. Non ?

Justin en convint d'un discret hochement du menton.

Ensemble, ils entrèrent dans le bar. Comme à son habitude, Helena passa la première. Elle écarta le rideau qui masquait encore la salle et découvrit l'intérieur du bar.

Un concert de sifflets accueillit son apparition.

– Sonny Boy aurait pu nous prévenir, grinça Justin en avisant les mines de brutes des clients présents.

– Il savait que je t'accompagnais, minauda Helena en retour. Allez : tu es un grand garçon, tu vas très bien t'en tirer !

Justin ignora les joueurs réunis autour de la table de billard – cinq ou six gaillards aux gabarits de dockers, qui affichaient des rictus carnassiers en direction de la jeune femme.

– Je m'en occupe, lui glissa Helena. Tu vas interroger le barman.

Sans discuter, Justin rejoignit le comptoir. Il se jucha sur l'un des tabourets et attendit sagement que le serveur, un colosse à la peau noire, lui adresse la parole.

Dans son dos, les commentaires fusaient à l'attention d'Helena.

Ignorant la menace, cette dernière avançait vers la table de billard.

Deux brutes l'entourèrent bientôt.

– Hey, beauté ! grasseya un géant couvert de tatouages. C'est la première fois que je te croise ici.

– Et probablement la dernière, l'interrompit Helena avec une moue dédaigneuse. Ce n'est pas le genre d'endroits où j'aime traîner.

Justin crispa les mâchoires. Le ton d'Helena ne laissait rien présager de bon...

– Dommage, fit la brute en s'enhardissant au point d'attraper l'épaule de la jeune femme. Mais si tu me laisses le temps, je finirai par te faire apprécier ce bar.

– Commence par retirer tes doigts, coupa Helena. Tout de suite.

Sa voix s'était faite plus tranchante qu'un katana, au point que le colosse tressaillit. Il obtempéra, avant d'éclater d'un rire gras :

– Eh, vous autres ! beugla-t-il à l'attention de ses comparses. Vous avez vu ? Elle pense pouvoir venir faire la loi ici !

Une salve de commentaires orduriers ponctua sa tirade.

La situation devenait inextricable.

Justin secoua la tête de droite et de gauche.

Le colosse ne mesurait pas le danger, il fallait donc s'attendre au pire…

Et quand on fâchait Helena, le pire ne se faisait jamais attendre.

– Je vais prendre un *scotch*, annonça-t-il.

Il plongea la main dans une poche et en ressortit quelques billets, qu'il lâcha sur le comptoir avant d'ajouter :

– Tant que vous y êtes, préparez une tournée pour vos clients…

Chapitre 7

Sonny Boy était demeuré interdit quelques secondes devant l'écran éteint. « On est bientôt arrivé », avait dit Helena juste avant que Justin mette un terme à la retransmission audio… Vexé, le hacker avait adressé un salut martial à un interlocuteur fantôme :

– À vos ordres, boss ! ricana-t-il.

Il s'ébroua et s'arracha à sa contemplation.

« Tu es décidément incorrigible ! se maudit-il. Il suffit que cette fille ouvre la bouche pour que tu boives ses paroles. Sois lucide : elle n'éprouve rien pour toi. Et, de surcroît… Elle n'a rien de plus que les autres. »

« Menteur ! persifla une petite voix dans sa tête tandis qu'il manipulait son fauteuil pour s'éloigner de l'écran. Tu sais parfaitement qu'elle est unique ! »

Sonny Boy renifla bruyamment.

– Bon ! décréta-t-il pour chasser la voix. Assez rêvassé. On applique le plan et on obtient des résultats rapides !

Le travail. Les recherches. Voilà les seuls remèdes efficaces que Sonny Boy avait trouvés pour ne pas penser à Helena. Il s'y employait comme un forcené… sans toutefois obtenir de résultats probants. L'image de la jeune femme errait toujours aux frontières de sa conscience.

Le hacker consulta la feuille sur laquelle il avait griffonné quelques notes succinctes. Il ferma les yeux et se remémora les demandes de Justin.

– Ok, fit-il en hochant la tête. Ça ne devrait pas poser trop de problèmes.

Il activa ensuite la commande vocale de son unité centrale.

– Dossier Lamar Dawson, énonça-t-il. Enregistrement 5.

Aussitôt, l'un des écrans fixés au mur s'alluma. Le visage de Wesley Knight apparut. Il s'agissait d'une photo d'identité judiciaire, que Sonny Boy avait récupérée en pénétrant le site de la police de New York.

– Affaires récentes, articula-t-il.

Une colonne se matérialisa en bordure d'écran, des données informatiques déroulèrent leur interminable théorie.

– Archives F.B.I., ordonna Sonny Boy. Croisements des données et résultats.

Il pianota des compléments d'ordres sur l'un de ses multiples claviers. Des centaines de profils défilaient à présent, que l'ordinateur comparait au cliché capturé par le hacker.

Soudain, une alerte apparut à l'écran.

Sonny Boy étouffa un juron.

Il attrapa son téléphone et composa le numéro de Justin.

– Décroche ! gémit le hacker en entendant la sonnerie. Allez !

Chapitre 8

Le barman n'avait pas bougé. Campé derrière son comptoir, il dardait sur l'étranger des yeux plus sombres qu'un puits empli de ténèbres. Justin soutint son regard sans sourciller. Très lentement, il répéta la commande. Sans obtenir plus de réaction.

De guerre lasse, il finit par exhaler un soupir harassé :

– Bon. C'est quoi, votre problème ?

Le géant noir daigna enfin remuer sa grande carcasse. Il avança avec une lenteur calculée, prenant soin de laisser rouler son impressionnante musculature sous la toile tendue de son polo. Il se plaça juste en face de Justin et afficha un rictus mauvais.

– Le truc, énonça-t-il d'une voix de stentor, c'est qu'ici on n'aime pas les flics.

Justin écarta les bras en signe d'apaisement.

– Et bien voilà ! s'écria-t-il, faussement enjoué. On y est !

Il poussa les billets en direction du serveur :

– Ça tombe bien, l'ami, parce que nous ne sommes pas membres du N.Y.P.D.. Avec cette délicieuse qui m'accompagne, on veut juste boire un verre.

Sitôt dit, Justin choisit de laisser son regard errer sur le comptoir, à la recherche d'un détail invisible. Il laissa filer une poignée de secondes avant d'ajouter :

– Et poser quelques questions, aussi. J'avoue.

À cette annonce, le barman se raidit. Il croisa ses bras énormes et toisa son interlocuteur :

– On n'aime pas non plus ceux qui posent des questions, *whitey*[6].

Il avait craché le dernier mot et attendait sans doute une vive réaction de Justin. Il en fut pour ses frais.

Le jeune homme sembla hésiter. Il leva les yeux au ciel, se pinça la base du nez et souffla un grand coup :

– Bon. Monsieur ne veut pas y mettre du sien, j'ai bien compris… Mais on ne va pas y passer la journée pour autant, pas vrai ? Alors, voilà, je te la fais courte et on va finir par s'entendre : je viens ici, je dépose mon argent sur le bar, je bois un verre, je formule deux ou trois questions et je repars. C'est si compliqué que ça ?

Le barman considéra en reniflant les billets étalés sur son comptoir.

– Tout est clair, *whitey*. C'est toi qui ne comprends pas, en fait. Ce qui se passe, c'est que tu donnes l'argent puis tu bois un verre. Et que tu repars. Vite… Et loin.

Il s'était penché pour appuyer sa menace.

Loin de se laisser décontenancer, Justin considéra avec attention son visage de dogue prêt à bondir.

Il hocha la tête, peu convaincu.

– C'est un début, soupira-t-il. Peut mieux faire. Encore un petit effort et on va y arriver…

– Ce sera tout ! coupa le géant. Cherche pas, *whitey*. Tu vas avoir de gros problèmes, si tu insistes.

Joignant le geste à la parole, le géant attrapa un verre, le remplit d'office d'une dose de whisky et fit claquer le tout devant Justin.

Ce dernier leva la boisson devant ses yeux, inspecta le liquide ambré et le goûta avant de faire claquer sa langue.

– Pas mal, admit-il. Je m'attendais à pire…

[6] *Terme injurieux, désignant à la fois les « blancs » et les consommateurs de drogue, à cause de la pâleur de leur teint.*

Dans son dos, les protagonistes s'étaient figés. Les hommes qui cernaient Helena semblaient attendre un signal.

– Il y a de quoi servir une tournée, fit remarquer Justin. Non ?

– Ouais, maugréa le barman.

Il disposa une rangée de verres et les remplit de whisky.

– C'est pour vous, les gars.

Avec des cris de contentement, le gang de brutes s'approcha du comptoir, abandonnant Helena. Celui qui avait posé sa main sur l'épaule de la jeune femme lui adressa un baiser du bout des doigts :

– Ne bouge pas, ma jolie. On va se revoir dans peu de temps ! grasseya-t-il.

Helena le considéra sans la moindre émotion. Elle adressa un clin d'œil à Justin puis rejoignit elle aussi le comptoir, où elle s'empara d'un verre qu'elle vida d'une traite.

– Waow ! s'extasia l'un des hommes. Sacrée descente, la p'tite !

Ni Justin, ni Helena ne commentèrent.

– On peut parler ? insista le jeune homme.

Le colosse réfléchit, indécis. Quelle attitude adopter ? Il se pencha et regarda vers la rue.

– T'as du cran, admit-il avec un début de sourire.

– Il paraît.

– N'empêche, *whitey*, t'as pas la tête d'un habitué du quartier. C'est à toi, la caisse, dehors ?

– Oui.

– Joli bijou. Ça va chercher dans les combien ?

– *Maserati Quattroporte GTS*, récita Helena en tournant un visage fermé vers le géant. Quatre cent cinquante chevaux de série, mais celle-là a été légèrement modifiée, je ne vous le cacherai pas. Le modèle normal – que je trouvais un peu poussif avant l'intervention des techniciens – propulse ses deux tonnes d'acier de zéro à cent kilomètres/heure en cinq secondes. Quant à son prix, il taquine les cent trente-cinq mille euros ce qui, converti en dollars, fait un joli matelas de billets verts. Besoin d'autres détails, ou je l'ai suffisamment vendue ?

Estomaqué par son aplomb, le barman considéra la jeune Asiatique. Il battit des cils comme s'il découvrait sa présence dans l'établissement :

– Depuis quand les poulettes dans ton genre s'intéressent-elles aux bagnoles ? ricana-t-il.

– Depuis qu'elles savent les conduire mieux que les hommes, coupa Helena. Enfin… Mieux que *certains* hommes.

Elle le provoqua du regard. L'homme se détourna avec mépris, pour reporter son attention sur Justin :

– Eh, *whitey* ! s'exclama-t-il en pointant un pouce vers Helena. Un mec comme toi a besoin d'une *call girl* pour conduire son jouet ?

Justin afficha une moue contrite, avant de secouer la tête dans la négative.

– Grossière erreur : Helena n'est pas une *call girl*, c'est mon assistante…

– Je ne me trompe jamais, *whitey* ! grogna le barman en se courbant vers Justin.

– … et à votre place, j'éviterais de mal me conduire avec elle, acheva ce dernier, imperturbable.

– Ah ouais ? rugit le colosse. Vous vous êtes regardés, tous les deux ? Vous êtes chez moi, ici ! Et j'y fais ce que je veux !

Les hommes accoudés au comptoir s'en détachaient, prêts à bondir. Sans se concerter, ils prirent position en arc de cercle, coupant toute possibilité de fuite aux deux visiteurs qui leur tournaient encore le dos.

Justin leva son verre et observa le liquide qui y dansait doucement. Fixant le miroir qui décorait le mur sur toute la longueur du comptoir, il trinqua à l'attention des brutes.

– À la vôtre, messieurs !

Il avala le reliquat d'alcool fort, reposa son verre et ajouta, in petto :

– Quand tu veux, Helena.

Helena exhala un long soupir de satisfaction.

– *Amen* ! Je me demandais quand tu me laisserais faire !

Joignant les mains, elle fit craquer ses doigts croisés et, dans un mouvement fluide et élégant, effectua une volte-face.

Un à un, elle dévisagea les hommes qui l'observaient.

– Ils sont si mignons… fit-elle, attendrie.

Chapitre 9

Matthew Slides se cala contre le dossier du fauteuil, qu'il jugea très confortable. Son interlocuteur, après l'avoir écouté avec attention, s'était fait apporter un épais dossier par son secrétaire. Il le consultait depuis, sans un mot.

Jambes croisées, Matthew rongeait son frein. Les années de labeur au sein des plus grands bureaux d'affaires lui avaient enseigné la patience et l'art d'afficher en toute occasion un calme olympien. Désireux d'accorder du temps à son hôte, il croisa les doigts sous son menton et laissa ses yeux errer à l'entour.

Le bureau de l'avocat, quoique de dimensions réduites – on prenait vite goût à la démesure, quand on travaillait dans le building de la *C. & Son Company* – était arrangé avec élégance. Une bibliothèque de belle facture, remplie de manuels de Droit, de dossiers d'études et de bibelots, masquait totalement l'un des murs. Le parquet rutilant était entretenu avec amour et le mobilier avait visiblement été réalisé sur mesure par un excellent artisan. Quelques tableaux, choisis avec discernement, étaient accrochés aux parois. On avait évité les traditionnelles vues de l'océan, ou les photos en vogue chez la plupart des cadres dynamiques de Manhattan, pour leur préférer des gravures anciennes.

Deux ou trois plantes vertes complétaient le décor, sans jouer sur l'ostentation – on était loin des jungles miniatures qui envahissaient les espaces de certains de leurs confrères ! Côté rue, les hautes fenêtres s'ouvraient sur la 42ème. Le soleil en traversait les fins rideaux, dispensant une agréable lumière. Seuls le ronronnement de la climatisation et le bruit des pages tournées troublaient le silence.

– Si vous préférez, hasarda Matthew, il suffit de me remettre une copie de ce dossier. Je ne voudrais pas abuser de votre temps…

L'avocat leva un sourcil intrigué :

– Vous remettre le dossier de mon client ? Mais… ce serait contraire à l'éthique de…

Matthew Slides lui retourna un sourire glacial. Il se pencha vers son interlocuteur.

– Votre client, Lamar Dawson, est condamné à la peine capitale. Vous comprendrez, mon cher confrère, qu'une entorse à la sacro-sainte éthique de notre profession ne saurait avoir de conséquences plus fâcheuses en l'occurrence. Me trompé-je ?

Désarçonné par la morgue de son visiteur, l'avocat se mit à bredouiller. Matthew décida de porter l'estocade :

– Je ne vous demande pas l'original, mais seulement une copie. Que je détruirai, si vous le souhaitez, à la fin de la semaine. Ou mieux : que je vous rendrai quand cette histoire sera terminée.

Il observa une seconde de silence avant de conclure :

– Avec un épilogue heureux, si nous ne perdons plus de temps et que les dieux nous sont favorables. Qu'en dites-vous ?

« Allons, songea-t-il sans quitter son interlocuteur des yeux, tu n'es pas mauvais homme, tu vas accéder à ma demande. »

– C'est d'accord, finit par lâcher l'avocat comme à regret. Mais je peux compter sur votre absolue discrétion…

Slides joignit le pouce et l'index, qu'il passa devant ses lèvres comme pour actionner une fermeture Éclair invisible.

– Rien ne filtrera. Même sous la torture.

– Il y a toutes les pièces de l'instruction, hésita encore l'avocat. Je ne voudrais pas que…

– RIEN NE FILTRERA, répéta lentement Matthew. Je suis moi aussi avocat et croyez-moi : je connais la musique.

– Entendu, céda enfin son interlocuteur. Je… Je vais demander à mon secrétaire de vous préparer la copie.

– Intégrale ? souligna Slides.

– Bien entendu.

– Parfait.

L'avocat se leva et fila vers la porte, le dossier sous le bras.

– Sachez, lança Matthew dans son dos, que mon employeur dispose de grands moyens. Et qu'il sait se montrer reconnaissant.

L'homme s'arrêta comme sous l'effet d'une morsure. Il pivota et dévisagea Matthew. Ses joues s'étaient empourprées :

– J'ai été commis d'office sur cette affaire, articula-t-il d'une voix tremblante de colère. Je n'ai pas touché un cent, mais j'ai fait mon travail du mieux que j'ai pu. Je ne cherche pas à gagner d'argent en faisant ce que vous me demandez. Je reste seulement persuadé que Lamar Dawson est innocent et je ferai tout ce qui est en mon pouvoir pour éviter son exécution. Est-ce assez clair pour vous ?

Matthew Slides opina avec lenteur.

– C'est tout à votre honneur, cher confrère.

L'avocat tourna les talons et quitta le bureau.

Matthew ne chercha plus à masquer sa joie : l'homme était intègre, ce point-là, au moins, venait d'être élucidé.

On pouvait maintenant passer à la suite du plan de Justin.

Slides se renversa à nouveau contre le dossier de son fauteuil.

Où en était son protégé ?

Il faudrait l'appeler, sitôt le dossier récupéré.

Chapitre 10

Justin Case avait adopté une posture nonchalante. Accoudé, dos au comptoir, il tendit le bras pour présenter son verre vide au barman éberlué.

– Serait-ce abuser que de demander un autre whisky, cher ami ?

Frappé de stupéfaction, le colosse resta pétrifié.

– S'il vous plaît… insista Justin.

Les yeux ronds, le serveur contemplait le tableau effroyable, au milieu duquel Helena se frottait les mains. Tout était allé si vite que les images s'entrechoquaient dans l'esprit du géant noir.

Une idée revenait sans cesse : ça n'était pas possible… et pourtant !

Winny, un truand musculeux aux bras recouverts de tatouages, était tombé le premier. Le *whitey*, en quelques mots, avait déclenché une tornade dans le bar. « Quand tu veux… » avait-il dit. Aussitôt, l'Asiatique s'était écartée du comptoir. Winny avait cherché à la retenir. Il avait agrippé le bras de la fille, qui avait aussitôt pivoté dans sa direction. La jambe de la jeune femme s'était détendue à une vitesse ahurissante, laissant tous les observateurs bouche bée. La pointe de sa botte avait d'abord atteint

Winny au tibia, puis au genou. Le malheureux avait voulu libérer un cri de douleur, mais il n'en avait pas eu le temps : la furie lui avait saisi le poignet avant de lui imprimer une méchante torsion. Un craquement d'os s'était fait entendre, puis Helena avait frappé de nouveau. La pointe de son pied avait touché Winny à la glotte, lui coupant la respiration. Helena avait redoublé l'assaut, shootant en plein front. Le truand avait basculé en arrière et s'était retrouvé allongé sur le sol, bras en croix.

Elle avait fait volte-face pour commenter avec un grand sourire :

– Helena, 1. Nounours, 0.

Avec des grognements furieux, les compagnons de Winny avaient réagi. Le premier, s'emparant d'une bouteille, l'avait brisée contre le comptoir. Il avait illico plongé vers l'Asiatique, le tesson brandi. Quand il avait voulu la frapper au visage, la fille n'avait pas bougé. Elle s'était effacée au dernier instant, avait attrapé l'avant-bras de son adversaire et l'avait attiré, utilisant la force et le poids de l'homme. Comme s'il se fût agi d'une simple marionnette de chiffons, il avait effectué un soleil complet, roulant cul par-dessus tête. Il avait émis un râle étouffé en chutant à son tour. L'Asiatique ne l'avait pas lâché pour autant. Elle avait raffermi sa prise autour du poignet de l'homme et avait frappé violemment du genou. Un hurlement de douleur s'était élevé quand le coude du malheureux avait cédé. Penché au-dessus de lui, la jeune femme avait cogné du poing à la base de sa nuque. L'assommant sur le coup.

Elle avait effectué un bond de côté, évitant de justesse le troisième sbire qui plongeait dans son dos. Pivotant sur elle-même, elle avait accueilli le quatrième d'un terrible coup de pied au bas-ventre, doublé d'un coup de tête qui avait touché la base du nez. Sonné par la charge, l'homme était resté pantelant. Il titubait, le visage couvert de sang.

Helena s'était alors accroupie, évitant l'attaque venue dans son dos : un cinquième combattant, armé d'une queue de billard, s'était fendu dans l'espoir de transpercer la jeune femme... il avait planté l'arme de fortune au milieu du ventre de son compagnon et était resté ahuri devant l'effroyable résultat.

Helena ne fit pas montre de compassion. Elle arracha la pique de bois et la fit tournoyer dans les airs. Ses attaques atteignirent successivement le cinquième et le troisième homme revenus à l'assaut, qui roulèrent à terre sans connaissance, le front barré d'une strie violacée.

Le sixième et dernier adversaire approchait enfin.

Helena se mit en garde. Avec un sourire amusé, elle l'invita d'un doigt à approcher…

L'ultime combattant considéra le carnage autour de lui. Après une rapide réflexion, il préféra décamper. Il enjamba les corps de ses complices et jaillit dans la rue, pour s'enfuir à toutes jambes.

Helena s'approcha d'une de ses victimes. L'homme gémissait, les deux mains plaquées sur le ventre. Il tentait d'endiguer le flot de sang qui poissait sa chemise. Il serrait convulsivement les mâchoires et ne parvenait à proférer qu'un gémissement de douleur.

Helena lui écarta les mains sans ménagement. Elle ausculta rapidement la plaie.

– Superficiel, diagnostiqua-t-elle. Tu vas t'en sortir – si tu ne bouges plus. Pigé ?

L'autre secoua le menton dans l'affirmative. Elle lui tapota la joue, reconnaissante :

– Tu vois ? Quand tu veux…

Satisfaite, Helena se frotta les mains et revint à pas comptés vers le comptoir où Justin tendait toujours son bras dans le vide.

Perdant patience, le jeune homme fit volte-face :

– Je peux ? répéta-t-il en agitant son verre vide.

Le barman répondit quelques mots inintelligibles, avant de se pencher derrière son comptoir.

Il en resurgit armé d'un fusil à pompe, qu'il actionna en pointant la gueule de l'arme sur le torse du jeune homme.

Mal lui en prit.

Plus prompt que lui, Justin Case avait détendu le bras. Son verre fila jusqu'au visage du serveur, contre lequel il explosa en myriade d'éclats tranchants. Déséquilibré, l'homme tira au jugé mais le projectile se planta dans le plafond, faisant voler une petite tornade de plâtre.

Helena se rua vers le comptoir. Elle s'appuya sur le plan de travail, détendit sa jambe et frappa. Son premier coup de pied arracha l'arme des mains du tireur. Le second toucha à hauteur du plexus.

Le colosse exhala une plainte étouffée et s'effondra derrière le comptoir.

– Il a eu le temps de tirer, fit Justin avec fatalisme. Les voisins ou les passants ont entendu la détonation et la police va être avertie. Il nous reste deux ou trois minutes tout au plus.

– Promis : je ferai mieux la prochaine fois, s'amusa Helena.

– Oh, tu n'y es pour rien, la rassura Justin. C'est de ma faute. J'aurais dû voir venir…

Il posa à son tour les mains sur le comptoir. D'un bond, il s'y rétablit et se redressa de toute sa hauteur. Mains dans les poches, jambes écartées, il contempla le barman allongé de l'autre côté.

– Tu as un ami à soigner, quelques plaies à désinfecter sur ton visage et beaucoup de travail pour que cet endroit soit de nouveau présentable, déclara-t-il. Je ne vais donc pas abuser de ton précieux temps. En échange, tu ne vas pas me faire perdre le mien, tout aussi précieux. Je suis assez clair ?

Le colosse noir eut un mouvement de tête résigné.

– Ouais grommela-t-il.

– Parfait. Je vais te donner un nom et tu vas tout me dire à son sujet : Wesley Knight.

Silence. Justin considéra le faciès sanguinolent du colosse avec une moue contrite.

– Je croyais que nous avions un accord, toi et moi… soupira-t-il. Helena ?

– Oui ? répliqua l'Asiatique en le rejoignant sur le comptoir.

– Notre ami a besoin d'aide pour lutter contre les trous de mémoire. Motive-le un peu, veux-tu ? Et souviens-toi que « je ne sais pas qui c'est » n'est pas une réponse acceptable.

– Avec plaisir ! fit Helena.

Elle n'eut pas le temps de sauter à bas de son perchoir. Le serveur s'était assis et agitait ses grosses mains dans un geste de supplique.

– Non ! C'est bon. Je… Je vais tout vous dire.

– Et nous allons tout écouter, s'amusa Helena.

– Donc, reprit Justin, nous en étions à « Wesley Knight ». Je sais qu'il est venu ici au moins une fois et qu'il est mêlé à l'affaire du double meurtre. Je veux tout savoir. Ses habitudes, ses fréquentations, ses projets. TOUT. Dans les moindres détails.

– Si on apprend que j'ai balancé, murmura le barman en passant une langue nerveuse sur ses lèvres, je suis mort.

– Personne n'en saura rien promis Justin en levant la main pour parodier un serment. Nous sommes entre nous. Dépêche-toi : l'un de tes amis a vraiment besoin de soins.

– Ok. Alors, voilà…

Chapitre 11

Helena et Justin quittèrent l'établissement pour retrouver la Maserati rutilante sous le soleil. Contre toute attente, le bolide était intact. Les gamins, postés aux alentours, le surveillaient depuis les porches et les escaliers des bâtiments. Avisant la jeune femme, le chef de bande se leva à son approche. Il lui adressa un signe complice.

– Pas eu de problème ? interrogea Helena.

– C'est à vous qu'il faut demander ça ! ricana l'adolescent. On a vu Scotty sortir du bar en courant et ça avait l'air de chauffer à l'intérieur. C'était sérieux ?

– Oh ? Il s'appelle Scotty ? Non, rien de grave, rassure-toi.

Peu convaincu, l'adolescent la dévisageait de biais.

– N'empêche qu'à votre place, insista-t-il, je ne traînerais pas dans le coin. Scotty a beaucoup de copains. Du genre à sortir une lame ou un .44 sans hésitation, vous voyez ?

– Je vois très bien, confirma Helena en fouillant dans la poche de son pantalon.

Elle en extirpa des billets verts qu'elle plia avec soin avant de les glisser discrètement dans la main de l'adolescent. Ce dernier les fit disparaître d'un geste vif, tout en surveillant les alentours pour s'assurer que personne n'avait pu surprendre la transaction.

– Comme convenu, fit-elle en s'éloignant. Nous sommes quittes.

– Merci ! lança-t-il dans son dos. Vous êtes réglo.

– *De nada*. Les affaires sont les affaires.

Juste avant de monter à bord du véhicule, Helena se tourna vers la bande :

– Au fait, c'est quoi ton nom ?

– On m'appelle Skinny.

– *Skinny*[7] ? fit-elle, non sans une pointe d'étonnement. Ouais, pourquoi pas ? Au plaisir, les gars !

Elle prit place au volant et mit aussitôt le contact. À ses côtés, Justin ajustait sa ceinture de sécurité. On percevait déjà les mugissements lugubres des sirènes de police, à quelques blocs de là. Le N.Y.P.D. serait bientôt sur les lieux. Mieux valait filer, si l'on ne voulait pas avoir à fournir des explications hasardeuses...

Helena démarra en trombe, sous les regards admiratifs des gamins. Elle s'engagea dans les ruelles adjacentes. Empruntant des chemins détournés, elle eut tôt fait de quitter le quartier. Elle eut à cœur de multiplier les changements de direction, pour être certaine que personne ne les suivait. Quand elle estima avoir satisfait aux plus élémentaires précautions, elle se détendit et mit le cap au sud.

Elle rejoignit Central Park sans problème.

À ses côtés, Justin avait ressorti l'ordinateur portable. La mine soucieuse, il pianotait sur le clavier pour établir la liaison avec Sonny Boy.

– Il faut d'urgence mettre en commun nos renseignements, murmura-t-il. Les aveux du barman peuvent changer la donne…

– Il ne les répètera pas devant un tribunal, fit remarquer Helena. Il avait peur. Il craignait visiblement une menace bien plus effrayante que Wesley Knight lui-même…

– Peut-être, mais nous savons maintenant que Knight était le seul présent au moment du crime. Le barman a avoué l'avoir laissé volontairement seul dans son établissement, contre une belle

[7] *Littéralement, « maigrichon ».*

enveloppe remplie de billets verts. Dans ce milieu, on ne pose pas de question : on participe et on ferme les yeux, ou bien on décline la proposition. Notre homme savait qu'il ne devait en aucun cas être témoin des événements. Il n'a même pas vu entrer les victimes de Wesley. Officiellement, il était à la cave quand il a entendu des coups de feu. Cela dit, il doit disposer de solides appuis dans la police – la chose n'est pas rare chez les truands qui trouvent toujours de « petits arrangements » avec le N.Y.P.D. –, ce qui expliquerait que l'on ait validé sa version aussi facilement. De plus, les enquêteurs tenaient avec Lamar le coupable idéal, ils n'ont pas dû avoir envie de creuser davantage. Mais Wesley est le véritable coupable, cela ne fait plus de doute. Si nous parvenons à l'établir formellement – en l'interrogeant à son tour, par exemple –, nous pourrons…

Il s'interrompit. Dans sa poche, le smartphone vibrait. Justin consulta les appels, vit que Sonny Boy avait cherché à le joindre. Il appela la boîte vocale et pâlit en entendant la voix de son ami.

– Mauvaises nouvelles, commenta-t-il tout en écoutant la fin du message enregistré.

– Qu'est-ce qui se passe ? s'inquiéta Helena.

Justin ne répondit pas. Il avait déjà composé le numéro du hacker.

– Sonic ?

– J'ai du neuf.

– Dis-moi !

– J'avais retrouvé la dernière adresse de Wesley Knight…

– Joli coup ! le félicita Justin. Mais ça n'a pas l'air de te mettre en joie…

– *Dead end*[8], fit Sonny Boy, lugubre. Knight est mort il y a quelques heures. Tu te souviens de la dépêche ? Elle affirmait que Knight s'était fait tirer dessus, sans préciser son état. Depuis, c'est officiel : il n'a pas survécu à ses blessures.

– Tu sais où l'exécution a eu lieu ?

– Dans un bar de Brooklyn.

– Aouch, grimaça Helena. Les pistes se font rares. Et maintenant ? Qu'est-ce qu'on fait ?

[8] *L'équivalent américain de notre « cul-de-sac ».*

Justin se pinça la base du nez et s'accorda quelques secondes d'intense réflexion.

– On file retrouver Sonny Boy, décréta-t-il. Une réunion s'impose. On va effectuer quelques recherches complémentaires en attendant le retour de Matthew. Impossible d'agir avant : si on veut passer les cordons de police et atteindre les lieux de ce nouveau crime, il nous faudra un excellent avocat. Sonic ? Ça marche pour toi ?

– Je mets les sodas au frais ! conclut le hacker avant de couper la retransmission.

Chapitre 12

Une fois passé le pont traversant l'Hudson, ils rejoignirent très vite l'autoroute et filèrent jusqu'au New Jersey Turnpike. Helena avait branché le lecteur de cd et les haut-parleurs diffusaient en sourdine les chansons d'un enfant du pays devenu rock star.

– Bruce Springsteen ? interrogea Justin sans quitter des yeux son écran d'ordinateur, sur lequel Sonny Boy était apparu pour la rapide visio-conférence.

– Yep, fit la jeune Asiatique. *State Trooper.* C'est de circonstance.

Justin sourit. En quelques couplets scandés sur une musique minimaliste, *State Trooper* comptait l'histoire d'un évadé, qui fuyait dans un véhicule lancé à tombeau ouvert sur le tronçon d'autoroute qu'ils empruntaient…

– Hey? s'amusa Sonny Boy en identifiant à son tour la musique. Ça vous arrive d'écouter de la musique de jeunes? Vos trucs du siècle dernier, ça va deux minutes, non ?

– Je croyais que tu avais coupé la retransmission, s'amusa Justin.

– Pas besoin de l'image, quand on a le son. Ma manière à moi de vérifier que vous ne dites pas de mal quand je ne vous surveille pas.

– Tu nous surveilles TOUT LE TEMPS, soupira Justin.

– Laisse tomber, persifla Helena. Il n'y connaît rien et n'apprécie que les rappeurs dont la rythmique lui rappelle le bruit de moteur de ses machines.

Soucieux de ne pas perdre de temps, Justin mit un terme à la passe d'armes :

– Ça ira, les enfants. On enterre la hache de guerre et on en revient à notre affaire, si ça ne vous dérange pas. On parlera musique une autre fois.

La voix de Sonny Boy leur parvenait à travers les haut-parleurs de la voiture :

– J'ai récupéré toutes les données manquantes sur Wesley Knight.

– Bien joué ! le félicita Justin.

– Oh, ça n'était pas bien compliqué, marmonna le hacker. D'ici deux heures, on devrait trouver tout ça sur les réseaux sociaux. Pas de témoin, ni dans l'établissement, ni à l'extérieur. Je vérifie sur les réseaux de caméras externes, mais j'ai bien peur que ça ne nous mène nulle part.

– Comment ça ?

– J'ai déjà fait un point sur la cartographie des lieux. Peu de caméras, de nombreux angles morts – sans mauvais jeu de mots. Wesley est mal tombé, on va avoir du mal à identifier son assassin.

– Son assassin ? répéta Justin. Tu parlais de règlement de compte.

– Ça, corrigea Sonny Boy, c'était l'info première. Mais depuis, j'ai récupéré d'autres éléments. Knight a reçu deux balles en pleine tête. Tirées de dos.

– Deux balles dans la tête ? intervint Helena. C'est le mode d'exécution de la pègre.

Justin libéra un long soupir.

– On est tout près, et on va faire le point.

Ils n'échangèrent plus un mot jusqu'à leur arrivée dans l'antre de Sonny Boy.

– Voilà ce que j'ai trouvé concernant Wesley Knight.

Le hacker tendit une série de photos récupérées via Internet sur les archives du N.Y.P.D. et fraîchement sorties de son imprimante laser. Justin s'en empara. Il contempla un moment le visage dur, le regard dénué de pitié du défunt. Il découvrit les premiers clichés du corps allongé sur le parquet d'un bar, le crâne baignant dans une mare de sang.

– Comme tu peux le constater, ajouta Sonny Boy, l'homme n'était pas un tendre.

– Et on ne l'a pas traité avec beaucoup de tendresse, au final.

Justin reporta son attention sur l'un des documents. Au bas de la photo d'archive, un numéro d'identification s'étalait.

Il remisa la photo dans son carnet.

– Ok, grommela-t-il. Qu'est-ce que nous avons d'autre à nous mettre sous la dent ?

– Jette un œil au casier judiciaire de notre homme, reprit Sonny Boy. Elle confirme que Knight était un criminel endurci – ce qui signifie que celui qui l'a descendu est à prendre au sérieux. Pour se débarrasser d'un pro, il faut faire appel à un autre pro. Voire à un spécialiste.

– D'où la méthode employée, renchérit Helena.

Justin grogna derechef en parcourant des yeux la litanie des différents délits et crimes commis par Wesley Knight.

– Le profil parfait du porte-flingue, lâcha-t-il en guise d'épitaphe. Déjà condamné pour faits violents…

– Pas sûr, corrigea le hacker. Vérifie : notre gars était convaincu de complicité, mais on n'a jamais pu prouver qu'il avait lui-même commis les meurtres auxquels il a été associé.

– Un vrai petit ange de compassion, victime du système ! railla Justin. Tu as du neuf sur les lieux de son meurtre ?

Sonny Boy lança une œillade complice à Helena :

– Hey ! Tu as vu ça, beauté ? fanfaronna-t-il. On dirait que môssieur Justin ne me fait plus confiance !

Adoptant une démarche féline, Helena s'approcha de lui. Elle posa une main sur l'avant-bras du hacker.

– Allez, murmura-t-elle sur un ton conciliant. Montre-nous ce que tu as trouvé sans faire de manières.

– Vos désirs sont des ordres, poupée ! s'exclama Sonny Boy en tapant des codes sur son clavier.

À l'écran, une série de nouveaux clichés apparut.

– Tous frais, tous beaux : les derniers clichés de la police scientifique, transmise à leur serveur pour étude immédiate ! triompha le hacker.

En les découvrant, Justin grimaça de dégoût.

– Tu as des photos du bar ?

– Pas d'autres que celles-là, fit Sonny Boy en indiquant la liasse dont disposait Justin, mais j'ai l'adresse.

Justin consulta son smartphone.

– Bon, on n'a plus le temps. On repart tout de suite et on contacte Matthew en chemin. Avec un peu de chance, il aura fini et pourra nous rejoindre à Brooklyn en sautant dans sa voiture.

– Il y sera avant nous, avec les bouchons pour entrer dans Manhattan, maugréa Helena. On n'a pas intérêt à traîner si tu veux pouvoir visiter le site avant la tombée de la nuit.

Justin hocha la tête.

– Ok. On file. Sonic ?

– Yep ?

– Tu nous bidouilles une conférence à quatre avec Matthew ? Je prends dans la voiture.

– C'est comme si c'était fait.

Chapitre 13

Helena et Justin n'eurent pas le temps de rejoindre l'autoroute que Sonny Boy avait fait le nécessaire. Le signal sonore caractéristique s'éleva dans l'habitacle et l'écran encastré dans le tableau de bord s'éclaira. L'image se scinda en trois parties. Les visages de Sonny Boy et Matthew s'inscrivirent dans les deux premières. Ceux de Justin et Helena, plus petits, apparurent également dans la troisième. La caméra miniature, judicieusement installée à cet effet au niveau du rétroviseur, balayait tout l'habitacle de la voiture. Une webcam envoyait l'image très nette de Sonny Boy. Seul Matthew, qui ne disposait que de son smartphone, demeurait légèrement flou et dansant au rythme de ses pas.

En quelques mots, Justin résuma la situation pour l'ancien avocat, qui écouta sans l'interrompre et se contenta de hocher la tête pour accuser réception des informations.

– À ton tour, poursuivit Justin. Qu'a donné ton entrevue ?

Matthew caressa la tête de mort qui ornait le pommeau de sa canne, en esquissant un sourire entendu.

– Comme il fallait s'y attendre, il s'est montré très réceptif. J'ai à ma disposition une copie complète du dossier d'instruction.

– Je savais pouvoir te confier cette délicate mission, se réjouit Justin. Tu vas cependant devoir retourner le voir sans tarder.

– Si tôt ? s'étonna Slides. Il ne va plus rien comprendre…

– On doit agir dans l'urgence : à l'évidence, « on » a entrepris d'éliminer tous les protagonistes de cette affaire.

– Je vois. Mais il ne va pas être facile à convaincre.

– Tu as carte blanche pour obtenir des résultats.

– Ne t'en fais pas. Personne ne refuse de prendre quelques vacances, surtout si un généreux donateur offre les billets d'avion et une somme substantielle pour en profiter, une fois à destination.

– Je constate que tu as toujours la main…

– Oh, c'est le B.A.-BA du métier ! Aucun avocat ne résiste à une proposition financière. Quand on choisit la justice, on n'a que deux alternatives : soit on devient juge ou *attorney*[9]… soit on bascule dans le camp des avocats. C'est un choix qu'on effectue en son âme et conscience, selon qu'on est attiré par le Bien ou par l'argent.

Justin s'éclaircit la gorge :

– Hum… Matthew ?

– Oui ? s'amusa Slides, devinant la remarque qui allait suivre.

– Tu *ES* avocat, il me semble…

Le rire métallique de Slides lui répondit en écho :

– Touché, Votre Honneur ! Mais permettez-moi de vous corriger : je suis aujourd'hui à la retraite, cela n'a donc plus rien à voir. De plus, je suis actuellement en mission commandée pour un dénommé Justin Case. Je n'agis dorénavant que pour le bien de mes concitoyens.

– Matthew Slides ? fit soudain une voix dans le dos de l'ancien avocat d'affaires.

Matthew pivota :

– Oui ? répondit-il avant de blêmir.

– Vous allez nous suivre… ordonna sèchement la voix.

Justin sentit que son cœur accélérait brusquement la cadence.

[9] *Aux U.S.A., ce terme générique est généralement utilisé pour désigner le procureur.*

– … sans faire d'histoires, achevait la voix.

Aucun des participants à la visioconférence ne pouvait apercevoir le mystérieux interlocuteur de Slides.

– Inutile de faire pivoter votre smartphone pour me filmer, ricana la voix. Maintenant, vous allez raccrocher et nous suivre.

– Matthew ? s'écria Justin. Qu'est-ce qui se passe ?

Le ton de Slides demeurait parfaitement neutre :

– Nous allons devoir interrompre cette conversation, Justin. Je suis désolé.

– Allo ? s'époumona Justin. Ne raccroche pas ! De qui s'agit-il ?

– Un, articula Matthew.

Puis il ajouta :

– G-C-J.

– Qu'est-ce que vous êtes en train de raconter ? rugit la voix. Raccrochez ! C'est un ordre !

– Je te rappelle dès que possible, fit Slides laconique.

Il coupa la communication sans rien ajouter.

– Matthew ? répéta Justin avec incrédulité. Matthew ?

Seule la tonalité ininterrompue se faisait entendre.

Livide, il raccrocha à son tour.

– Je peux toujours le localiser, intervint Sonny Boy. J'ai un traceur sur son smartphone.

Justin leva sur ses compagnons un visage aux traits tirés.

– Cette fois, nous avons un véritable problème, lâcha-t-il d'une voix pâle. Sonic ? Tu transmets ses déplacements sur le G.P.S. de la voiture ? On fonce le retrouver.

– À vos ordres, boss.

Helena, sans un mot, accélérait déjà sur l'autoroute. Le bolide dévorait l'asphalte en direction de Manhattan.

Soucieux de ne pas perdre le fil de ses pensées, Justin saisit son carnet et griffonna quelques notes. Qui pouvait avoir eu vent des agissements de Matthew ? Comment cette personne avait-elle procédé pour l'identifier, le suivre et l'interpeller au sortir du bureau de l'avocat de Lamar Dawson ?

Justin serra nerveusement les mâchoires.

Dans cette affaire, on cherchait à éliminer les intervenants les uns après les autres. Il referma son calepin, afin de mettre un terme aux idées noires qui l'assaillaient.

Il pria pour que Matthew ne soit pas le prochain cadavre sur la liste.

Son smartphone se mit à vibrer.

Justin lut sur l'écran un message sibyllin du hacker.

– Sonic et sa fichue manie des messages cryptés ! soupira-t-il.

LE CARNET DE

JUSTIN CASE

Avocat de
LAMAR DAWSON
(212) 219-92020

À CE STADE DE L'ENQUÊTE, JUSTIN TÂTONNE... ET TOI ? SAURAIS-TU RÉPONDRE AUX QUESTIONS QU'IL SE POSE ?

MATTHEW...

Qui a pu l'enlever ?
Dans quel but ?
Un complice de Wesley Knight ?
Le responsable de toute cette histoire ?
Comment savoir ?

Tout ça ne tient pas debout...

Qui est LAMAR DAWSON ?
Un innocent ou un menteur ?
Ne s'est-il pas lui-même mis dans cette situation ?
Pour quelle raison ?

Dans quel ordre procéder ?
Obtenir une entrevue avec LAMAR ?
Retrouver Matthew ?
Rendre visite à l'épouse de LAMAR ?
Passer voir son avocat ?
Aller sur les lieux du crime de Wesley Knight ?

UN MESSAGE CRYPTÉ ? DÉCHIFFRE-LE POUR FAIRE PROGRESSER L'ENQUÊTE...

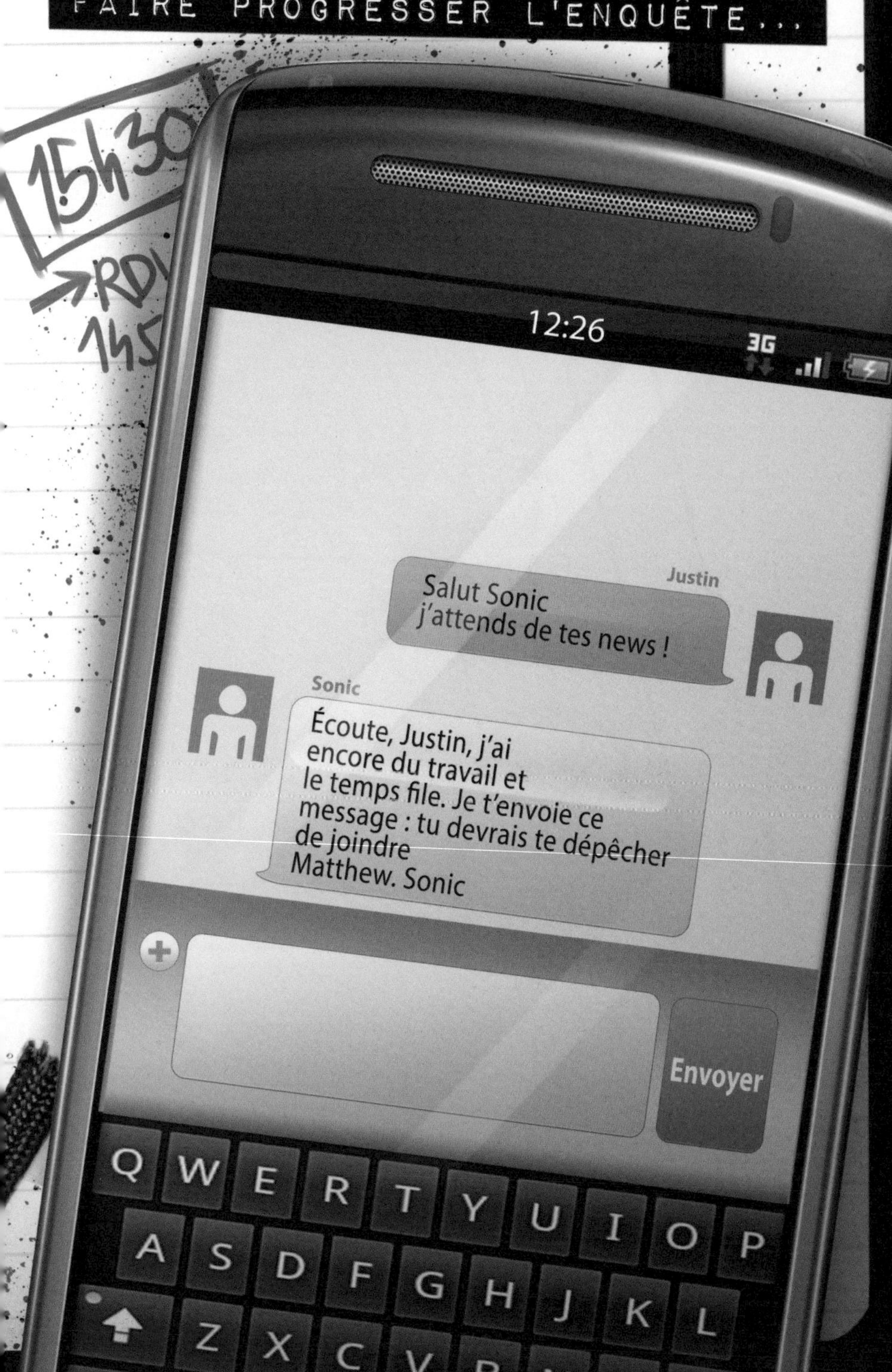

SUR CETTE PHOTO,

EXTRAITES DES ARCHIVES DU NYPD PAR SONNY,

SAURAS-TU RECONNAÎTRE WESLEY KNIGHT ?

JUSTIN ET HELENA
DOIVENT ABANDONNER LA VOITURE
ET REJOINDRE LE BAR...
SANS ÊTRE REPÉRÉS PAR LES CAMÉRAS DE SURVEILLANCE.
À TOI DE LES GUIDER !

NOTA BENE : LES CAMÉRAS DE SURVEILLANCE SONT FIXES. ELLES NE PEUVENT "LIRE" LES INDICATIONS QUE DANS CE SENS.

HARLEM

14:34

bar A

Justin et Helena B

Church Ave
Erasmus St
Snyder Ave
Tilden Ave
Beverley Rd
Rogers Ave
Nostrand Ave
Lloyd St
Woods Pl
Johnson Pl
Oakland Pl
Veronica Pl
Lott St
E 29th St
E 28th St
E 31st St

Q W E R T Y U I O P
K L

Chapitre 14

La *Quattroporte* s'était glissée dans le flot de véhicules engagés en déferlante de métal sur le pont enjambant l'Hudson River. Helena se détendit quelque peu : le plus dur était fait. On ne tarderait plus à entrer dans Brooklyn et le G.P.S. indiquait un parcours d'encore une vingtaine de minutes. La jeune Asiatique avait programmé l'ordinateur pour s'arrêter à deux cents mètres du bar où Wesley Knight avait trouvé la mort.

Sitôt quitté le Brooklyn Bridge, Helena mena son bolide à travers les premiers blocs d'immeubles. Elle aimait le contraste saisissant offert par ce côté du fleuve, en regard de Manhattan. Ici, point de gratte-ciels mais des immeubles aux dimensions humaines. Au sommet des bâtisses, des toits en terrasses sur lesquels, l'été, il faisait bon se réunir entre amis pour allumer des barbecues et profiter de la vue. Des espaces agréables, une multitude de petits commerces… Les pâtés d'immeubles étaient comme autant de petits villages adossés les uns aux autres.

La voiture passa en ronronnant devant *Le Fada*, un de ces restaurants atypiques, où l'on pouvait manger français – de véritables fromages et de la charcuterie comme seuls les Européens savent en faire, loin de ces produits aseptisés répondant aux critères draconiens de la législation américaine.

Si elle surveillait sa ligne en permanence, Helena adorait s'accorder une pause de temps à autre et, dans ces occasions, elle ne se refusait pas un plateau de menus plaisirs, qu'elle accompagnait d'un vin rouge produit dans le Sud de la France. Elle était sur le point de rappeler à Justin qu'ils n'avaient pas diné ensemble depuis un long moment, mais se retint en avisant son air studieux.

Insensible au décor qui l'entourait, Justin était penché sur son carnet.

– Matthew, lut-il à voix haute. Qui a pu l'enlever ? Dans quel but ?

Il releva la tête et fixa le reflet d'Helena dans le rétroviseur.

– À ton avis ? Un complice de Wesley Knight ? Le responsable de toute cette histoire ?

Helena réfléchit à son tour, sans quitter la route des yeux. Les habitants de Brooklyn étaient moins policés que ceux de Mahattan, il convenait de prendre garde aux piétons, aux enfants qui jouaient sur les trottoirs, aux cyclistes... La voix métallique du G.P.S. débitait ses indications.

– Il est peu probable qu'un complice de Knight soit mêlé à ça, articula-t-elle enfin. Ce serait une erreur grossière.

Justin acquiesça en silence. Il l'invita d'un geste à développer son raisonnement.

– En admettant que nous ne faisons pas fausse route, reprit Helena, et que le responsable de cette affaire cherche à éliminer tous ceux qui sont impliqués de près ou de loin dans l'assassinat imputé à Lamar Dawson... Si j'étais un partenaire de Wesley, en apprenant sa mort, je me dépêcherais de quitter l'État.

Elle effectua une manœuvre de dépassement, serra un moment les poings sur le volant et ajouta d'une voix sourde :

– Ou bien je chercherais à retrouver son meurtrier sans tarder. Histoire d'avoir une petite explication.

Justin signifia d'un mouvement du menton qu'il abondait en son sens.

– Nous en sommes arrivés à la même conclusion. Alors ? Qui reste-t-il ?

– Le responsable de l'affaire. Je ne vois que lui. Si nous partons du postulat que Lamar Dawson est innocent, il s'agit du véritable commanditaire du double meurtre…

– Séduisant, reconnut Justin, mais ça ne tient pas non plus.

– Et pourquoi donc ?

– Parce que nous nous mettons à la place des amis de Knight, ce qui induit un certain regard. Mais endossons deux secondes le rôle du responsable : si toi ou moi étions dans sa situation, nous nous concentrerions sur les témoins et les complices. Pas sur des étrangers qui se piquent d'une affaire qui ne les concerne pas.

Helena leva un sourcil intrigué :

– Je t'écoute, l'encouragea-t-elle.

– Trop aimable. Réfléchissons, veux-tu bien ? Mettons-nous maintenant dans la peau du tueur. Nous avons déjà trois cadavres sur la conscience et tout n'est plus qu'une question de temps : il faut se dépêcher de faire disparaître toutes les traces, toutes les connections qui peuvent mener les enquêteurs jusqu'à nous. Sans preuve, sans témoin survivant, plus question d'innocenter Lamar Dawson. Et une fois ce dernier exécuté…

Ce fut au tour d'Helena d'opiner du chef.

– … impossible de remonter à la source et de confondre le véritable responsable. Ok, boss : un point pour toi. Verdict ?

– Il y a peut-être une autre piste, répondit Justin.

Son smartphone vibra à nouveau, rappelant le message fraîchement arrivé. Justin s'en empara et d'un mouvement du pouce, afficha le texte. Il relut le texte du hacker avec attention.

– Mais oui ! s'écria-t-il soudain.

Devant l'air incrédule de sa compagne, il présenta l'écran de son téléphone cellulaire :

– Sonic est tellement parano que quand il m'envoie un message écrit, il le code.

Helena fronça les sourcils.

– Ça ne veut rien dire…

– Sauf si tu ne lis que le premier mot de chaque ligne !

Elle fit ce qu'il lui demandait et décrypta :
– Écoute encore les mots de Matthew…
Justin entra des ordres sur le clavier de son portable. Comme il l'avait deviné, la conversation avait été enregistrée par le hacker. L'intégrale était disponible en fichier mp3.

Le jeune homme lança l'écoute. Une ride soucieuse creusait son front, tandis qu'il en écoutait chaque son. Il interrompit l'enregistrement d'un geste nerveux, après une phrase prononcée par Slides.
– Quel imbécile ! se morigéna-t-il. J'étais tellement stressé que je n'ai pas entendu le code…
– Encore un code ? grimaça Helena. Vous êtes fatigants, les garçons…
– 1-G-C-J… répéta Justin.
Il se tourna vers l'écran encastré dans le tableau de bord :
– Sonic ? Tu es arrivé à la même conclusion que moi ?
– Yep ! répliqua le hacker. Et je réécoutais tout, justement.
– Tu as trouvé un autre moyen, je suppose ?
– Un peu ! pavoisa Sonny Boy. Mais écoutez d'abord.
Il lança l'enregistrement.
La voix du mystérieux intervenant résonna dans l'habitacle :
« Matthew Slides ? Vous allez nous suivre… sans faire d'histoires. Inutile de faire pivoter votre smartphone pour me filmer. Maintenant, vous allez raccrocher et nous suivre. »
– J'ai effectué un montage rapide en éliminant les réactions de Matthew et les nôtres, commenta le hacker.

Justin se concentrait sur l'enregistrement.
Il tendit un doigt vers le tableau de bord et augmenta le volume des haut-parleurs.
– Tu peux nous repasser le montage, Sonic ?
– Vos désirs sont des ordres, s'amusa le génie de l'informatique.
À nouveau, l'enregistrement défila dans la *Quattroporte.*
– Cette voix… murmura Justin. Je la connais !
Sonny Boy applaudit :
– Houston ? rit-il de bon cœur. *We have a winner* !

– Ce n'est pas le moment de faire de l'humour[10], coupa Helena. Tu nous dis de qui il s'agit, au lieu de faire des mystères ?

– Wow ! se renfrogna le colosse. Mollo, China Girl ! Je ne suis pas ton larbin.

– Du calme, les enfants ! s'agaça Justin. Ça n'est pas le moment. Sonic ? On t'écoute.

– Ok, maugréa le hacker. Ça n'a pas été compliqué : j'ai passé l'enregistrement par un filtre de reconnaissance vocale, et tu seras soulagé d'apprendre que Matthew ne risque pas grand-chose, si ce n'est de passer un moment un peu pénible dans les locaux du F.B.I.

Justin applaudit :

– C'est ce que m'a fait savoir Matthew : 1-G-C-J, dans notre code, signifie F.B.I. ! Bien joué, Sonic !

– Ce bon vieux Corbeau s'est rappelé à nous, s'amusa le hacker. Ça faisait un moment, pas vrai ?

Helena secoua la tête de droite et de gauche :

– L'agent fédéral Benjamin Craven, siffla-t-elle. Il réapparaît toujours au pire moment…

– Oui, appuya Justin. Reste à savoir ce qu'il vient faire ici.

[10] Sonny Boy parodiait la célèbre citation de John Swigert Junior, au cours de la mission Apollo 13. Si la phrase originelle est « Houston, we've had a problem » (Houston, nous avons eu un problème), elle est de nos jours utilisée de manière humoristique dès qu'un souci mineur est à signaler, sous la forme « Houston, we have a problem. »

Chapitre 15

Jambes croisées, dos calé contre le dossier de sa chaise raide, Matthew Slides jouait négligemment avec sa canne. L'avocat au costume gothique, les yeux masqués par ses lunettes noires, retournait son sourire glacial à la tête de mort grimaçante qui ornait son pommeau. Slides riait sous cape, en songeant que les services de sécurité avaient voulu la lui confisquer, quand il avait passé le détecteur à métaux du building. Il en fallait davantage pour que l'ancien avocat se laisse démonter : il avait affirmé que l'objet était nécessaire à ses déplacements depuis que l'un de ses genoux avait été abîmé dans un accident de la route. Matthew s'était en revanche bien gardé d'avouer qu'il s'agissait en réalité d'une redoutable canne-épée, dont il ne se défaisait jamais.

On l'avait conduit dans ce bureau sans fenêtre, équipé des traditionnels meubles d'acier renfermant moult dossiers classés « secret défense » – le sens de la dramaturgie du F.B.I. amusait Matthew au plus haut point. Sans doute cela impressionnait-il la plupart des visiteurs, mais Slides connaissait parfaitement les procédures. On n'apprenait pas aux vieux singes à faire la grimace ! Un bureau sinistre, un fauteuil et l'agent Craven, au poste de commande, complétaient le triste décor.

Matthew observait scrupuleusement le silence, en attendant que son interlocuteur prenne la parole.

Face à lui, bras croisés en une attitude condescendante, l'agent Benjamin Craven affichait un regard sombre. On pouvait voir saillir les muscles de ses joues maigres, chaque fois qu'il serrait les dents.

« Une autre manie sensée déstabiliser l'interlocuteur, s'amusa Matthew. Les méthodes du Bureau devraient être revues de temps à autre. Peut-être les agents devraient-ils réclamer une modernisation des protocoles ? »

Positionnés en chiens de faïence, les deux hommes se livraient à un duel muet. On eût dit deux joueurs de poker se toisant sous l'œil des caméras de télévision, en attendant que l'adversaire dévoile son jeu ou commette une erreur fatale.

De guerre lasse, l'agent Craven exhala un interminable soupir :

– Il est regrettable de vous trouver une fois de plus sur notre chemin, commença-t-il en exagérant la menace du propos. C'est fâcheux pour vous – et pour votre protégé ! – monsieur Slides…

Le sourire de Matthew s'élargit encore, fendant son visage pâle d'une cicatrice sombre.

– New York City est une ville libre, me semble-t-il, murmura-t-il avec une désinvolture non feinte. Tout comme le sont ses citoyens, tant qu'ils n'enfreignent pas la loi.

– C'est ce dernier point qui pose problème ! grinça Benjamin Craven.

Pour toute réponse, Matthew leva le pommeau d'argent à la hauteur de ses yeux. Il en étudia les détails par-dessus ses lunettes, dévoilant ses prunelles noires. Il reporta soudain son attention sur l'agent fédéral, riva son regard au sien et lança :

– Tout comme votre fâcheuse obsession concernant Justin Case, siffla-t-il. Vous devrez un jour en rendre compte, agent Craven… De quoi m'accuse-t-on exactement ?

Craven ouvrit la bouche, mais n'eut pas le temps de répondre. Slides poursuivait, flegmatique :

– Soyez précis, mon ami. Vous avez affaire à un avocat, pas à l'un de ces petits malfrats que vous côtoyez chaque jour que Dieu fait. Parlons loi et Constitution, entre gens civilisés… Mais de grâce : épargnez-moi vos pauvres tentatives pour m'impressionner.

Benjamin Craven sentit ses joues s'empourprer. Il se retint d'aboyer de rage, quand il constata que sa réaction nourrissait la morgue de son interlocuteur.

– Je ne comprends pas, renchérit Slides, à vous voir, pourquoi on vous surnomme « le Corbeau ». Le rouge vous va si bien au teint.

– Ne faites pas le malin ! ordonna Craven. Tout avocat que vous êtes, je peux vous coffrer pour entrave à une enquête fédérale.

– Entrave ? répéta Matthew en adoptant une attitude offusquée. Vous plaisantez ? Je marchais dans la rue et je téléphonais à un ami qui…

Craven perdit le contrôle. Il se leva brusquement et posa les poings fermés sur le bureau.

– Ne me prenez pas pour un imbécile ! rugit-il. Vous sortiez du bureau de Will Manning, l'avocat commis d'office dans la défense de Lamar Dawson.

– Lamar Dawson ? reprit Matthew en affectant une mine soucieuse. Lamar Dawson… Voyons… Ce nom me dit quelque chose. Les journaux en ont parlé récemment, je crois ?

Benjamin Craven n'était pas dupe. Il grinça des dents en comprenant qu'il ne parviendrait pas à désarçonner l'ancien habitué des prétoires. Slides jouait en grand professionnel, rompu à toutes les tactiques d'intimidation.

– Dawson a fait la une des quotidiens, soupira Craven, parce qu'il est rare, dans cet État, qu'un homme soit condamné à mort. Il a cependant été jugé coupable d'un double homicide. Il attend l'exécution de la peine capitale, qui doit avoir lieu à la fin de la semaine.

– Oh ? rajouta Slides en mimant l'affliction. C'est désolant. Je pensais cet État plus progressiste… C'est une grande honte pour nos concitoyens, vraiment.

Benjamin Craven ne put retenir un ricanement.

– Gardez pour vous vos considérations politiques, voulez-vous ? La « grande honte », c'est que des assassins puissent encore sévir dans notre pays sans être aussitôt placés sous les verrous. Je vous demanderai plus de retenue, monsieur Slides : vous êtes ici dans les locaux du F.B.I.

– J'avais cru le deviner, railla Matthew, au vu du nombre de *Men in black* affublés de badges électroniques qui déambulent dans les couloirs. On vous oblige toujours à montrer patte blanche à chaque fois que vous franchissez une porte ? Ça doit être terriblement usant, à la longue, de se soumettre en permanence à une autorité qui vous traite comme des enfants ingérables… ou des chiens de garde parfaitement soumis.

Craven dut fournir un effort surhumain pour ne pas répondre à la provocation.

– Soyez aimable, gronda-t-il. Évitez de me parler comme à un demeuré, monsieur Slides. Ce sera mon dernier avertissement : encore une tentative en ce sens et je me verrai dans l'obligation de vous faire enfermer pour outrage.

Matthew Slides leva les mains en signe de reddition :

– Loin de moi une telle idée, affirma-t-il. Je respecte autant la fonction que… l'uniforme.

Sitôt dit, il présenta une mimique goguenarde qui faillit avoir raison des dernières résistances de l'agent fédéral. Craven bouillait intérieurement. Il verrouilla les mâchoires et serra si fort les poings que les jointures de ses phalanges blanchirent. Il aurait aimé refermer les doigts sur la gorge de Slides, pour voir cet insolent dandy périr étranglé, devant lui. Il ne put que couler un regard haineux dans sa direction sans parvenir à décider ce qui, de la colère ou de l'admiration, l'emportait en lui.

À la vérité, Craven détestait l'arrogance de l'ancien avocat mais devait lui reconnaître une véritable maestria dans l'art de la provocation. Et du courage à revendre, également. La plupart des prévenus s'effondraient sitôt passée la porte du bureau. Matthew Slides, lui, conservait toute sa morgue.

Craven ferma les yeux et se massa les paupières dans l'espoir de ne pas céder à la tentation de la violence – le F.B.I. exigeait de ses agents un *self control* de tous les instants.

Satisfait de l'effet produit, Matthew se radossa et posa sa canne en travers de ses genoux.

Il attendit que l'agent reprenne.

– Lamar Dawson sera exécuté dans quelques jours, articula enfin Benjamin Craven. Il semble pourtant que cette affaire soit la source d'autres cas non encore élucidés.

– Intéressant ! l'encouragea Matthew.

Il se pencha en avant pour témoigner de son vif intérêt et ajouta :

– Vous songez à des ramifications possibles ? D'autres affaires seraient concernées ?

L'agent Craven battit des cils. La partie de poker menteur reprenait. Des voix contradictoires s'élevaient dans son esprit : les unes l'exhortaient à poursuivre, les autres le mettaient en garde contre cet homme qui en savait beaucoup plus qu'il ne le prétendait... Il laissa rouler les mots en bouche comme l'on fait d'un bon vin et ajouta, dans un souffle :

– Nos services ont en effet formulé une hypothèse, selon laquelle la véritable motivation du double meurtre prend source dans des affaires... plus importantes qu'il n'y paraissait de prime abord. Si cette théorie – mais ce n'est qu'une des pistes explorées par nos enquêteurs – se révélait exacte, on aurait cherché à maquiller en règlement de compte un assassinat. Dans ce cas, les commanditaires de ce double meurtre intéressent le Bureau, qui souhaite les voir capturés.

Il se tut et observa les réactions de son interlocuteur.

– Mais peut-être avez-vous une idée à formuler ? relança-t-il après un long silence.

Peine perdue.

Matthew Slides, retranché derrière la barrière opaque de ses lunettes noires, présentait un visage lisse. Il s'était mué en statue de marbre. Ainsi, on eût pu croire qu'il ne respirait plus.

« Un reptile, se dit Craven. Ce type doit avoir du sang de crotale dans les veines. »

Il décida de changer radicalement de ton :

– Que faisiez-vous chez l'avocat de Lamar Dawson ? Ne niez pas : nous savons que vous êtes allé voir Will Manning aujourd'hui, nous pouvons produire des photos de votre entrevue.

L'espace d'une seconde, Matthew Slides en fut perturbé. Les idées s'enchaînèrent dans son esprit. Il pria pour que les agents du

F.B.I. n'aient pas enregistré ses échanges avec l'avocat, puis décida de jouer le tout pour le tout.

Il chassa une mouche invisible d'un revers de main autoritaire :

– Il ne s'agissait que d'une simple visite privée. J'ai beau être à la retraite, je ne manque jamais de discuter avec l'un de mes jeunes confrères quand l'occasion se présente.

« Gagné ! se félicita-t-il mentalement en constatant que Craven ne saisissait pas l'occasion de le confondre. Vous avez l'image… mais pas le son. »

Il se pencha de nouveau vers l'agent fédéral et adopta le ton du secret pour ajouter :

– Il se trouve que j'ai quelques soucis personnels à régler – rien de bien grave, je vous rassure. Une de mes anciennes conquêtes exige une petite fortune depuis que nous avons rompu. Peine de cœur, peine d'argent, vous connaissez l'histoire. J'ai donc appelé cet avocat, obtenu un rendez-vous et je lui ai soumis mon cas. Ce dernier a eu l'extrême gentillesse de s'y intéresser et voilà tout.

« *Alea jacta est…* se dit-il. À toi de jouer, Corbeau. »

Craven passa une main nerveuse sur son menton. Il observait Matthew en hésitant sur l'attitude à adopter. Il pointa soudain un doigt inquisiteur vers la sacoche de cuir de Slides.

Ce dernier eut un pincement au cœur. Le dossier complet de l'affaire Dawson s'y trouvait. Il ne devait sous aucun prétexte lui échapper.

– Que transportez-vous là ? demanda Craven en détachant chaque syllabe.

– Des documents privés, répondit aussitôt Matthew en priant pour que ses mots sonnent aussi justes et détachés que possible. En rapport direct avec mon affaire.

Il sut, au rictus victorieux de son interlocuteur, que Craven n'avait pas mordu à l'hameçon.

– Serait-ce abuser que de vous demander de me les présenter ? avança l'agent.

– Vous pouvez toujours demander, rétorqua Slides en se raidissant. Ça ne vous coûtera rien.

Craven s'enhardit au point de tendre la main vers la sacoche, qu'il n'atteignit pas.

La voix cinglante de Matthew l'en empêcha :

– Ce qui vous coûtera une fortune – ainsi qu'au Bureau –, c'est le procès que je vous intenterai pour avoir osé mettre le nez dans des affaires privées, sans aucun lien avec vos recherches. Et sans avoir au préalable présenté les documents officiels vous autorisant à une fouille. Gageons que vos supérieurs apprécieront les libertés que vous vous serez accordées !

Benjamin Craven avait suspendu son geste.

Incrédule, il dévisageait Slides. Son rictus triomphant se changea en grimace. Il hésitait toujours. Matthew décida donc de porter l'estocade :

– Maintenant, reprit-il calmement, vous connaissez les règles du poker. Il faut payer pour voir. Êtes-vous prêt à le faire et, surtout, agent Craven : EN AVEZ-VOUS LES MOYENS ? Je me fais fort de vous faire renvoyer dans les sous-sols de Quantico[11], où vous classerez des archives jusqu'à la retraite.

Vaincu, Craven se laissa retomber sur son fauteuil.

– Vous pouvez sortir, lâcha-t-il à regret. Je ne vous retiens pas.

– Je l'ai toujours su, fit Matthew Slides en se levant.

Il empoigna la sacoche, leva le pommeau d'argent de sa canne à hauteur de son front pour adresser un salut ironique à l'agent et quitta le bureau. Dans son dos, c'est un Benjamin Craven dépité qui rugit une dernière fois :

– Prévenez toutefois Justin Case que le F.B.I. est sur cette affaire et qu'à la moindre incartade, je lui passerai moi-même les menottes avec plaisir !

– Soyez sans crainte, Agent Craven. Je n'y manquerai pas. De votre côté, rapprochez-vous de votre conseil juridique. Le seul fait de soupçonner Justin Case sans autre motif que votre haine personnelle est suspect. Il se pourrait bien qu'un jour la loi vous interdise de lui nuire davantage.

[11] *La F.B.I. Academy est basée sur le camp de l'US Marine Corps, à Quantico, une ville située dans l'état de Virginie.*

Matthew longea les couloirs et retrouva au plus vite l'air libre et les trottoirs de Manhattan. Il héla un taxi et résista à l'envie de téléphoner à Justin pour l'avertir au plus vite de la menace.

Il se fit conduire aux limites de Greenwich Village, descendit à Washington Square et prit un café à la terrasse d'un établissement en profitant du soleil.

Après s'être assuré qu'il n'était pas suivi, il marcha un moment et remonta Bleecker Street. Il fit une halte rapide dans un magasin pour y acheter un téléphone jetable. En appelant de ce cellulaire neuf, il ne craignait plus d'être écouté par les agents du Bureau qui ne manqueraient pas de surveiller ses appels dans les prochains jours…

Il leva le visage vers le soleil, prit une profonde inspiration et composa le numéro de Justin.

Chapitre 16

Toujours à bord de la *Quattroporte* en compagnie d'Helena, Justin fixait son smartphone qui vibrait à nouveau. Il daigna enfin décrocher au troisième appel. Le numéro était inconnu, mais la procédure avait été respectée. Ses proches et lui avaient mis au point ce code simple, au cas où ils devaient se joindre en urgence sans passer par leurs cellulaires habituels : composer le numéro, attendre deux sonneries, raccrocher, recomposer, attendre deux nouvelles sonneries, raccrocher encore puis rappeler – pour de bon, cette fois.

– Je me faisais du souci, Matthew, déclara Justin avant même d'entendre la voix de son vieil ami. Je te mets sur haut-parleur, afin que tout le monde participe à la conversation.

– Pardon pour le retard, les enfants. J'ai dû visiter les locaux du F.B.I., où j'ai eu droit à un interminable laïus de la part de notre ami le Corbeau.

– Ce cher agent Craven ne lâchera donc jamais prise… s'agaça Justin.

– Je crains effectivement que son cas relève de la médecine psychiatrique. Il est évident qu'il n'a toujours pas digéré les résultats de l'enquête au sujet de ton père. De plus, si tu veux mon avis, il reste persuadé que tu es mêlé à la disparition de…

– Il finira par se rendre à l'évidence ! coupa Justin, peu enclin à évoquer la tragique disparition de sa mère. Sais-tu au moins pourquoi il t'a arrêté ?

– C'est l'intérêt d'avoir affaire à cet impénitent bavard, ricana Matthew. Il est incapable de se taire. Je ne sais pas si c'est une bonne nouvelle, mais le double homicide dont on accuse Lamar Dawson n'est qu'un des rouages d'une machination beaucoup plus vaste. Les chiens de chasse du F.B.I. sont lâchés et il va être difficile de se déplacer sans les avoir sur les talons.

– Positivons ! intervint Helena. Si cette affaire a des ramifications, nous devrions trouver le moyen d'innocenter Dawson.

– Rien n'est moins sûr, s'assombrit Justin. Il faut avancer encore : nous ne disposons plus que de quelques jours.

– En attendant, glissa Sonny Boy, on va peut-être gagner du temps.

– À savoir ?

Le hacker eut un petit rire de gorge :

– Le F.B.I. consigne tout. Tout le temps. Ces gars sont des maniaques du dossier... et de l'ordinateur.

– Et tu vas te promener dans leurs archives ! comprit Justin. Parfait. Tu sais ce qu'il te reste à faire. Helena et moi, nous allons visiter le bar où Wesley Knight a été assassiné. Matthew ?

– Ce sera sans moi, répondit Slides sans masquer sa déconvenue. J'aurais adoré vous accompagner, mais les hommes de Craven doivent avoir commencé leur filature. Si je vous rattrape, ils seront là aussi. Évitons les ennuis : je vais plutôt les promener à travers le Village, et peut-être irais-je jusqu'à Battery Park[12].

– Monsieur va jouer les touristes ! s'amusa Sonny Boy.

– Voilà des années que je n'ai pas emprunté l'une des navettes ! s'esclaffa Matthew. Après tout, je suis à la retraite : j'ai gagné le droit d'aller à la plage quand ça me chante. Non ?

– Bonne promenade ! renchérit Justin. Helena et moi, nous sommes arrivés. On se retrouve où ?

[12] *Situé au sud de Manhattan, Battery Park permet d'embarquer à bord des navettes fluviales qui se rendent entre autres jusqu'à Ellis Island (où se dresse la statue de la Liberté), ou Staten Island – cette dernière étant gratuite.*

– Chez moi, proposa Sonny Boy. Ça n'est pas le plus près, je te l'accorde, mais au moins on sera à l'abri des oreilles et des regards étrangers.

– Parfait ! confirma Matthew. Disons vers vingt et une heures ?

– C'est noté, acheva Justin.

Il coupa la communication.

Helena avait serré le frein à main à l'issue de sa manœuvre de parking. D'un mouvement du menton, elle désigna l'angle d'une ruelle.

– C'est là-bas, murmura-t-elle. Hélas, nous ne serons pas seuls…

Justin observa rapidement les alentours.

– Je vois, souffla-t-il en retour.

Helena avait raison, la partie allait être serrée.

Pour toute réponse, la jeune femme glissa la main sous le siège conducteur. Elle en tira une mallette extra-plate, l'ouvrit d'un geste expert et y choisit un pistolet et un silencieux.

– C'est vraiment nécessaire ? objecta Justin en levant un sourcil.

– On ne sait jamais ! répliqua Helena avec un sourire lumineux.

Elle libéra un rire cristallin, avant de descendre la première de la *Quattroporte*.

– Allons ! l'encouragea-t-elle en l'invitant à la suivre. Ne traîne pas. Tu ne voudrais pas faire attendre nos amis ?

Justin soupira avec résignation. Il descendit à son tour et la rejoignit sur le trottoir. Helena lui passa le bras autour de la taille. Elle posa sa tête sur le torse du garçon. Elle adoptait souvent cette tactique quand ils devaient approcher d'un lieu potentiellement dangereux.

« On ne se méfie pas des amoureux, lui répétait-elle à l'envi. On a tort ! Sois gentil quand l'occasion se présente : fais semblant d'être heureux. »

À son tour, Justin passa un bras autour des épaules de la jeune femme pour l'enlacer. Ainsi, ils devaient avoir l'air d'un couple se promenant dans Brooklyn en fin d'après-midi.

Ensemble, ils prirent la direction du bar.

Justin pria pour que le subterfuge fasse effet.

Chapitre 17

Le soleil déclinait lentement dans le ciel. De rares nuages poursuivaient leur voyage vers le large. La lumière rasante faisait naître des franges irisées à la surface des vaguelettes, au point que l'Hudson semblait charrier de l'or liquide. Autour de l'embarcadère, la foule se pressait, mêlant les derniers touristes aux employés de New York pressés de rentrer chez eux. On identifiait les premiers à leur tenue improbable, leur appareil photo en bandoulière et leur allure d'ours dansant d'un pied sur l'autre en râlant d'excitation, les autres au flegme avec lequel ils attendaient de pouvoir prendre place à bord du grand bateau jaune, popularisé au cinéma par toutes les comédies romantiques.

Insensible au tableau, l'agent Benjamin Craven passa une main fébrile sur sa joue. Du bout des doigts, il vérifia que son oreillette n'avait pas glissé, puis il saisit le micro-cravate qui pendait le long de son col immaculé et pressa l'interrupteur.

– Alors ? demanda-t-il. Où en est la cible ?

– Il est monté à bord, comme prévu, répondit une voix neutre.

– Parfait. On le suit, on ne le lâche plus. Il est évident qu'il est tombé dans le piège.

– Reçu.

L'agent Craven coupa la transmission, puis se ravisa :

– Surtout… ajouta-t-il.

– Oui ?

– Prenez soin de ne pas vous faire repérer. Il pourrait rester à bord et ne pas nous conduire au nid.

– À vos ordres.

Rasséréné, Craven s'en retourna à la voiture de service. Un autre agent, lunettes noires vissées sur le nez, attendait au volant.

– On file à l'héliport, ordonna Craven en montant à bord. Nous allons prendre position à Staten Island et organiser un comité de réception pour monsieur Matthew Slides.

Sans un mot, le chauffeur démarra.

Craven s'adossa confortablement. Il laissa dériver ses yeux sur les immeubles de New York, dont les myriades de fenêtres reflétaient le soleil couchant. Aveuglé par le spectacle, il s'empara de sa paire de lunettes réglementaire et les enfila.

– Slides et son maudit protégé vont apprendre ce qu'il en coûte de jouer avec moi ! ricana-t-il.

Chapitre 18

Helena gardait la tête appuyée sur l'épaule de Justin, mais ses yeux étudiaient les alentours avec l'acuité d'un faucon préparant son attaque. Le garçon, quant à lui, passait commande. L'attitude désinvolte de ce petit couple d'amoureux se promenant dans les rues semblait avoir atteint son objectif : ils avaient été épiés au passage par les gardes postés autour du Wendy's Bar, mais les hommes avaient renoncé à les surveiller en les voyant poursuivre leur flânerie.

Les deux jeunes gens avaient suivi le trottoir, pour s'arrêter un peu plus loin, devant l'étal d'un vendeur ambulant de hotdogs. De cet endroit, ils pouvaient embrasser toute la rue d'un seul regard.

Las, ce qu'ils pouvaient voir n'était pas encourageant…

– Deux à l'entrée, commenta Helena à l'oreille de son compagnon en feignant de l'embrasser.

– Vus, souffla-t-il en retour.

Il régla les hotdogs, en tendit un à la jeune Asiatique et croqua dans le sien après l'avoir copieusement arrosé de ketchup.

– Très mauvais pour la ligne, playboy ! le sermonna Helena.

– Me voilà condamné à trois longues heures de vélo d'appartement, répliqua-t-il. Autre chose à signaler ?

– Deux autres sentinelles, poursuivit Helena en souriant à son sandwich. Sous le porche de l'immeuble en face. Gros gabarits, vêtements de sport sombres. De l'autre côté de la rue.

– Notés également.

– Plus embêtant, poursuivit-elle en rebroussant chemin vers l'établissement, un type posté à la fenêtre du premier étage.

– Je l'avais repéré, rassure-toi.

– Tu progresses ! le félicita-t-elle la bouche pleine.

Elle fit la moue avant d'ajouter :

– Ces hotdogs ne sont pas terribles. Tu les as payés cher ?

– Détends-toi. Je viens de laisser trois dollars, pourboire compris. Je devrais m'en sortir sans tracas avec mon banquier. On a fait le tour de la question ?

– Non.

Elle repassa son bras libre autour de la taille de Justin, tapota son estomac au grand dam du garçon et corrigea sa course pour l'empêcher de tourner vers le bar. Avec un naturel désarmant, elle l'obligea à longer la devanture sous les regards suspicieux des deux sbires postés dans l'entrée, à la verticale de l'écriteau écaillé « Wendy's Bar ». Raffermissant discrètement sa prise, elle l'entraîna au long des vitrines, jusqu'à l'angle de la rue.

– Tu m'expliques ? s'enquit-il à voix basse sans opposer de résistance.

– Deux observateurs sont postés à une fenêtre. Un poste idéal, un peu décalé par rapport à l'entrée.

Il fronça les sourcils, intrigué.

– Ne te retourne pas ! siffla-t-elle. Tu serais repéré illico. Ils ne font pas partie de la bande. Plutôt N.Y.P.D. – ou F.B.I., puisque nous savons maintenant que notre ami le Corbeau a pris part au jeu… Ils sont masqués par des voiles en guise de rideaux, mais disposent d'un téléobjectif puissant, monté sur pied. De parfaits petits snipers, que je soupçonne de mitrailler tout ce qui entre et sort du bar. On va piquer sur la droite.

Il se laissa guider en terminant son hotdog.

– Essaie de conserver un air naturel, poursuivit-elle. C'est un immeuble à façade jaune. Troisième étage, deuxième fenêtre en partant de la gauche.

Justin se comporta comme s'il regrettait de n'avoir pas pris davantage à manger. Il lança un regard déchirant en direction du vendeur ambulant et s'autorisa un rapide coup d'œil au moment où ils tournaient à l'angle du pâté de maisons.

– Ok ! murmura-t-il quand ils furent hors de vue des photographes de la police. Sans toi, je passais sous leur fenêtre sans les voir. Helena ?

– Oui ?

– Vous êtes redoutable, jeune femme !

Elle le libéra enfin et haussa les épaules en s'écartant.

– C'est pour ça AUSSI que tu m'as embauchée, je crois.

– Et maintenant ? On procède comment ?

Sans ralentir le pas, elle l'invita à la suivre et entreprit de faire le tour du bloc aux façades de briques rouges.

– Résumons, veux-tu ? Wesley Knight s'est fait descendre dans ce bar.

– Jusque-là, je suis ok.

– Le patron a donc des comptes à rendre à la pègre locale, qui doit s'interroger. D'après ce que Sonny Boy a appris, ledit patron n'a rien vu, ni rien entendu. Il affirme s'être absenté quelques minutes à la cave et avoir trouvé le corps en remontant.

– Correct.

– Il n'empêche que si la police a bien voulu avaler cette explication – partiellement, au vu des agents positionnés en face ! – les truands qui connaissaient Knight doivent bouillir d'impatience à l'idée de s'entretenir avec notre homme.

– Un peu comme nous ! ricana Justin.

– Et c'est pourquoi il a fait appel à ses petits camarades, qui s'attendent à une visite musclée d'un instant à l'autre.

– Des porte-flingues postés à l'entrée et autour du bâtiment, ça ne va pas nous faciliter les choses.

Helena s'arrêta et plongea ses yeux noirs dans ceux de Justin.

– Il faudra donc faire vite.

Il se raidit :

– Tu ne comptes pas y aller, dans ces conditions ?

– Il le faut bien, si nous voulons progresser ! fit-elle avec un geste désinvolte qui le désarçonna.

– Et comment comptes-tu t'y prendre ? coassa-t-il.

Helena affichait un sourire insouciant. Elle leva le nez au ciel.

– Le soleil se couche. Il fera bientôt sombre dans le quartier.

– Ça ne changera rien à la situation. La nuit n'a jamais empêché quiconque d'être tué par une balle perdue.

– Monsieur Justin réclame des documents à ses collaborateurs, mais il n'en tient pas compte ! s'amusa Helena.

– Va droit au but ! soupira-t-il.

– Sonny Boy nous a fourni un certain nombre de prises de vue et de plans du quartier.

– Et alors ? Je les ai regardés, comme toi.

Elle secoua la tête dans la négative :

– Naaaan, m'sieur. Pas comme moi.

Elle s'amusa un instant de sa mine déconfite et décida de mettre un terme à son supplice :

– Si tu avais étudié les clichés plus en détail, tu saurais qu'il y a une cour intérieure. Un espace commun, accessible par tous les bâtiments qui constituent le bloc. N'en déplaise à la presse people, on va éviter les photographes, ce soir.

– Et dans la foulée, on évitera aussi les quatre gardes postés devant le bâtiment ! se réjouit Justin.

– Ça, mon cher… Ça ne dépend que de la vitesse avec laquelle TU gèreras la situation. Tu dois poser les bonnes questions et obtenir les réponses en un temps record. Je m'occupe de ta sécurité et, s'il le faut, de motiver les personnes interrogées.

Helena s'introduisit sous un porche. Sitôt qu'il l'eut rejointe, elle vérifia que le pistolet était bien glissé dans la ceinture de son pantalon. Elle passa également une main experte dans les poches intérieures de sa veste légère et s'assura que tout ce dont elle pourrait avoir besoin s'y trouvait. Justin perçut le cliquetis discret de l'acier et ne posa pas de questions : Helena était capable de transporter un arsenal, tout en conservant une allure féminine irréprochable. Personne n'aurait pu imaginer, en croisant cette jeune femme sexy, qu'il s'agissait d'une professionnelle du combat, aussi armée qu'un bataillon de Marines…

Helena laissa entendre un grognement satisfait.

– On peut y aller, annonça-t-elle.

Elle traversa le hall, s'arrêta devant la porte vitrée qui menait à la cour commune et inspecta le décor à travers le carreau poussiéreux.

– Ça devrait être jouable, décréta-t-elle à l'issue de sa rapide observation. On pourra passer par les cuisines du Wendy's Bar.

– Il y aura sûrement du monde, objecta Justin.

– Aucun problème, répondit-elle avec assurance. C'est MON job !

Chapitre 19

Benjamin Craven fulminait. Il se mordait violemment l'intérieur des joues pour ne pas libérer le flot de jurons qui se pressait à ses lèvres. Il ne devait sous aucun prétexte perdre le contrôle devant l'un de ses subalternes et avait toutes les peines du monde à conserver un calme de façade. Ses lunettes noires masquaient un regard injecté. Il aurait voulu hurler sa rage, agonir Matthew Slides, lui passer les menottes et le traîner au fond d'une geôle sans fenêtre pour l'y laisser croupir à jamais !

Hélas, il fallait se rendre à l'évidence : l'ancien avocat avait su déjouer le piège. Quelque chose était venu enrayer le dispositif supposé implacable de l'agent du F.B.I.

Craven passait en revue toutes les étapes, sans parvenir à déterminer la faiblesse, même infime, qui avait permis à Slides d'échapper à la souricière. C'était à n'y rien comprendre : tout avait fonctionné comme il l'avait planifié depuis que l'hélicoptère l'avait déposé sur Staten Island. Le pilote n'avait pas eu le temps de couper le moteur que Craven avait bondi de l'habitacle, plié en deux pour éviter d'être happé par les pales vrombissantes. Il avait été accueilli par un autre agent, avait été mené au pas de charge vers le parking. Il y avait pris place à bord d'un véhicule banalisé, qu'un chauffeur du Bureau avait conduit sans tarder à proximité du débarcadère.

À ce moment, Craven se réjouissait d'avoir su piéger l'avocat arrogant qui pensait se moquer impunément du F.B.I. : les mâchoires du dispositif se refermeraient bientôt autour de Matthew Slides et de son protégé, Justin Case. Quand ce serait le cas, l'agent Craven savourerait la victoire…

Le plan était conçu pour démasquer Slides et ses responsabilités dans cette sombre affaire. À n'en pas douter, Case et les siens trempaient dans les trafics eux aussi. Il suffirait ensuite de remonter la filière pour que tombent les complices, l'un après l'autre.

Justin Case serait la cerise sur le gâteau.

Un milliardaire intouchable constituait une prise de choix.

Le point d'orgue d'une carrière irréprochable : celle de Benjamin Craven.

Ce fameux Justin Case, le Corbeau en avait acquis la certitude, n'était pas le playboy milliardaire dont les journaux à sensation aimaient traquer faits et gestes. Sous le travestissement de la respectabilité se cachait, à n'en pas douter, un délinquant de la pire espèce : un homme qui n'avait reculé devant rien pour gravir les derniers échelons le séparant du sommet de la société portant son nom. Un meurtrier qui avait certainement participé au meurtre de sa propre mère et s'était ensuite arrangé pour faire condamner son père ! Car feu Adrian Case avait été dénoncé par un simple appel anonyme, à la source duquel on n'avait jamais pu remonter…

À qui profitait le crime ? Benjamin Craven l'avait deviné à l'annonce du décès de Judith Case : l'héritier avait tout manigancé. Cet arrogant gamin, né une cuillère d'argent dans la bouche, ne s'était jamais satisfait de son statut doré. Il voulait toujours plus !

Mais il avait croisé la route du Corbeau, qui attendait son heure et saurait, un jour, faire éclater la vérité.

De la patience…

Il en fallait dans ce métier. Des mois d'enquête avaient été nécessaires pour révéler la présence d'une taupe au sein des services. Les recherches minutieuses avaient conduit les hommes du Bureau sur Staten Island, où l'on avait établi une surveillance accrue.

Et aujourd'hui, comme il fallait s'y attendre, l'un des sbires de Justin Case venait s'y réfugier juste après avoir été interrogé. Les événements s'accéléraient depuis l'affaire du double meurtre. Sous la pression, les coupables allaient accumuler les erreurs. Il ne fallait pas être grand clerc pour établir des corrélations : Matthew Slides, affolé, venait prévenir ses complices.

Le coup de filet serait magistral !

On embarquerait tout le monde et le tour serait joué.

Benjamin Craven s'était frotté les mains. Le dossier serait bientôt classé, l'affaire résolue avec brio ! Il pouvait d'ores et déjà postuler pour un emploi majeur au sein de l'antenne de Manhattan. Nul doute que ses supérieurs sauraient récompenser son travail acharné, au vu des résultats.

Ivre de fierté, il n'avait pas déchanté tout de suite.

Tout s'était enchaîné à la perfection.

Au début, en tout cas…

Comme prévu, Matthew Slides était descendu au milieu de la foule.

Comme prévu, il avait affecté de flâner sur la place, le temps de s'assurer qu'il n'était pas suivi.

Comme prévu, il n'avait pas repéré les deux agents qui le filaient – Craven avait pris soin de faire appel à des spécialistes, des hommes spécialement formés pour ce type d'opérations, de véritables fantômes urbains qui savaient se fondre dans la masse et disparaître en toutes circonstances.

Slides s'était ensuite engagé dans les ruelles en direction des plages… Mais, à la grande surprise de ses poursuivants, il avait poursuivi son périple jusqu'en bord de mer. Plus étonnant encore, il avait ôté ses chaussures et s'était accordé une longue promenade, allant jusqu'à goûter l'eau en y plongeant ses pieds nus.

– Qu'est-ce qu'il fout ? s'emporta Craven. Il devrait avoir pris contact avec…

Son oreillette grésilla soudain.

Il pressa le commutateur d'une main fébrile.

– Agent Craven ! lança-t-il avec une mimique de dogue.

En identifiant la voix de son supérieur hirérachique, il blêmit et s'attendit à une mauvaise nouvelle.

Il ne fut pas déçu.

– Oui, monsieur. Un dénommé Matthew Slides, que nous avons interrogé il y a quelques heures et qui… Comment ? Non, monsieur. Pas d'éléments nouveaux qui justifient ce déploiement, mais j'ai l'intime conviction que… Pardon ? Oui, je sais que c'est un avocat. Oui, monsieur. Je connais les risques, mais si je peux me permettre, je crois que…

Son correspondant s'était fait glacial.

Benjamin Craven écouta jusqu'au bout, sans l'interrompre.

– Reçu, conclut-il. Haut et clair. À vos ordres, monsieur.

Il arracha son oreillette, laissant pendre l'appareil sur sa poitrine.

Il se tourna vers le chauffeur.

– Nous repartons, articula-t-il d'une voix blanche. Opération annulée.

L'autre ne fit aucun commentaire. Il se contenta de monter dans la voiture banalisée et de mettre le contact.

Chapitre 20

Les cuisines du Wendy's Bar étaient un réduit étriqué dans lequel officiaient des employés harassés, coiffés de chapeaux en papier et sanglés dans des tabliers très fatigués eux aussi. Les deux hommes étaient condamnés à évoluer dans un couloir aux murs couverts de gras de cuisson, au centre duquel était installé le plan de travail. Contre l'une des parois, des éviers permettaient de faire la plonge. De l'autre côté, des grilles et des fours entretenaient une chaleur infernale dans la pièce. Au bout de cet espace, une porte à battant s'ouvrait au niveau du comptoir, d'où le serveur pouvait s'emparer des plats. Les cuisiniers évoluaient en silence, dans un improbable ballet qui les menait d'un point à l'autre de la pièce sans jamais se heurter.

Helena ouvrit la porte opposée, qui donnait sur la cour et les poubelles de l'immeuble. Elle se faufila comme un chat dans la pièce. Penchés au-dessus des grils fumants, les hommes ne s'aperçurent pas tout de suite de sa présence.

Quand elle fit claquer sa langue pour attirer leur attention, ils découvrirent avec stupéfaction une jeune Asiatique au visage fermé, qui se tenait raide devant eux. Le plus proche ouvrit des yeux ronds en apercevant dans sa main gauche deux paires de menottes.

– Qu'est-ce que… bégaya-t-il en avisant soudain le pistolet dans la main droite de la jeune femme.

– Chuuuut ! ordonna Helena. Un cri, un seul et je serai obligée de tirer. Compris ? « Oui » est une excellente réponse. « Non » n'est même pas une option.

L'homme leva les mains sans protester.

– Oui, grommela-t-il.

– Bien, le félicita Helena en lui lançant une paire de bracelets métalliques.

L'autre, en revanche, faisait mine de reculer vers le bar.

– Je ne plaisante pas, soupira Helena.

Elle tendit le bras, visant les jambes du cuisinier :

– D'abord un genou. Et ça fait mal. TRÈS MAL.

Convaincu qu'elle ne plaisantait pas, le second marmiton se figea.

Il leva les mains à son tour.

– Max ne va pas aimer ça, maugréa-t-il. Il est rancunier. Et il a beaucoup d'amis… tout aussi rancuniers que lui. Vous pourrez courir, mais vous ne pourrez pas vous cacher. Ils vous retrouveront, ma jolie.

Insensible à la menace, Helena agita la seconde paire de menottes sous son nez :

– Je ne vous apprends pas comment on s'en sert ? Vous vous passez les pinces autour d'un poignet, vous vous asseyez et vous vous fixez à un pied de four. Ensuite, vous restez silencieux. Vous êtes patients, tous les deux, et tout se passera bien. Quand on repartira, promis, je vous laisserai les clefs.

– Vous allez avoir des ennuis ! insista le cuisinier. Max et ses amis ne plaisantent pas. Il est encore temps de repartir là d'où vous venez. Lincoln et moi, on ne dira rien.

Le dénommé Lincoln abonda dans ce sens, en hochant la tête.

Helena le dévisagea. C'était un Afro-américain d'une cinquantaine d'années, au visage creusé et au regard déterminé. Un homme résigné mais courageux, qui en avait probablement vu d'autres, et qu'il ne fallait pas espérer impressionner.

Elle se pencha au-dessus de lui et murmura :

– Lincoln ?

– Oui, mademoiselle. C'est mon nom. Et lui, là, c'est Charly.

– Ok, Lincoln. Je t'explique : ça n'a rien de personnel. Je ne suis pas venue pour tuer, mais pour discuter. Ne t'en fais pas donc pour ton Max : s'il est aussi raisonnable et intelligent que toi, il n'y aura pas de bobo.

Il sembla réfléchir un instant, puis finit par hocher la tête avec conviction.

– Charly vous aura prévenue, maugréa-t-il en s'exécutant. C'est quand même dommage qu'une fille aussi jeune et jolie écourte sa vie comme ça...

– Merci pour le compliment, *old man* ! lui glissa-t-elle avant de se redresser. Mais ne t'inquiète pas pour moi. Allez, on enfile les bracelets !

Ils obéirent, suivant à la lettre les instructions de la jeune Asiatique. Quand ils en eurent terminé, Helena leur adressa un clin d'œil complice :

– On se revoit très vite. Soyez sages, surtout !

D'un geste de la main, elle invita Justin à entrer. Il lui emboîta le pas et se fendit d'un signe de tête en parvenant à hauteur des cuisiniers menottés.

Helena longea la cuisine étroite, fit pivoter la porte battante, risqua un œil à l'intérieur de la pièce et y entra d'un bond. Arrivée juste derrière le comptoir, elle tendit le bras d'un geste vif. Le canon de son arme se posa sur la tempe du barman, qui se mua aussitôt en statue de sel.

– Bonsoir ! dit Helena d'une voix monocorde. Je vais avoir besoin de cinq minutes de votre attention.

Sans plus se préoccuper du barman tenu en respect, elle toisa les convives réunis autour de la seule table occupée.

Cinq hommes d'âge mûr, qui s'exprimaient à voix basse et s'étaient raidis à son entrée.

– Nous sommes tous des professionnels, reprit-elle sur le même ton. Il n'y aura pas de problème, si vous faites exactement ce que je vous dis. Tout d'abord, merci de ne pas avertir les deux gardes postés dehors. Et de ne pas élever la voix pour que celui qui occupe l'étage descende. Mon ami et moi nous sommes venus pour parler. Conduisons-nous comme des gens bien élevés et évitons le carnage, d'accord ?

Les hommes semblaient hésiter sur l'attitude à adopter. Ils échangèrent des regards lourds de sens, puis l'un d'eux, un quinquagénaire aux tempes grisonnantes et à la mâchoire carrée, eut un léger haussement d'épaules.

– Tu entres ici avec une arme et tu dis que tu viens seulement pour parler ? Tu es courageuse, petite. Mais ça ne suffit pas pour rester en vie.

Helena resta de marbre.

Sa voix ne tremblait pas quand elle répliqua :

– Tu es du mauvais côté de l'arme et tu profères des menaces ? Tu es courageux, mon grand. Mais ça ne suffit pas pour rester en vie.

Justin saisit l'occasion de calmer les esprits.

Il contourna le bar, mains levées, paumes ouvertes :

– Pardon pour cette intrusion, messieurs. J'ai bien conscience que nous manquons à la plus élémentaire des courtoisies, mais vos hommes, dehors, n'invitent ni au respect de la bienséance, ni à la détente.

– Ta tête ne m'est pas inconnue, gamin… grinça l'un des convives.

Justin plongea ses yeux dans les siens :

– C'est possible.

L'homme, un gaillard solidement bâti, réordonna lentement l'agencement de son complet veston gris anthracite.

– J'y suis : tu es ce môme qui a hérité d'une fortune, murmura-t-il. J'ai vu ta photo en couverture des magazines.

– Bingo ! répondit Justin. Vous lisez la presse économique, nous sommes donc entre gens de bonne compagnie. Et puisque vous savez qui je suis, vous devinez que je ne suis pas venu ici pour vous voler la caisse…

– Je ne sais pas pourquoi tu es venu, intervint un troisième convive, mais nous savons où te retrouver. Tu joues un jeu dangereux, fiston. (Il adressa un mouvement du menton à Helena.) Et la petite, là, court aussi un grand danger.

– Je ne suis pas certain que ce soit la plus menacée d'entre nous, sourit Justin. Oubliez vos principes machistes, avant de froisser ma compagne – et détendez-vous, mon ami, il ne s'agit pas d'une menace mais d'un conseil gracieux.

Tout en parlant, Justin s'était approché de la table.

Il attrapa une chaise au passage.

– Vous permettez ?

Sans attendre de réponse, il prit place dans le cercle.

– Lequel d'entre vous est Max ? demanda-t-il à peine assis.

– On s'appelle tous Max, répondit un quatrième homme avec un sourire cruel.

Justin acquiesça :

– Oh ! Je vois…

Il sortit son smartphone, consulta l'écran et ajouta :

– J'ai promis à mon amie de faire vite. Il ne me reste que trois minutes pour vous convaincre de répondre, mais j'ai dans l'idée que nous allons trouver un terrain d'entente, vous et moi.

– Ça m'étonnerait, *kiddo*[13] ! grasseya le cinquième homme. Mais tu peux toujours tenter ta chance…

– À la bonne heure ! se réjouit Justin. Aucun d'entre vous n'est muet. On va donc pouvoir parler, vous et moi. Vous connaissez sans doute un certain Wesley Knight ?

Comme un seul homme, les cinq complices croisèrent les bras en une attitude butée.

– Jamais entendu parler, affirma le premier.

– Mauvaise réponse, Max ! coupa Justin.

Il tourna vers le deuxième un visage affable et reprit :

– Laissez-moi vous rafraîchir la mémoire, Max. Wesley, contrairement à moi, n'a pas encore fait la une des journaux, mais il s'est fait exécuter quelque part dans cette pièce, il y a moins de vingt-quatre heures. En cherchant bien, je devrais trouver quelques traces sur le parquet, mais je suppose que les services de la police scientifique ont déjà fait le travail.

Il dévisagea le troisième et poursuivit :

– Quant à vous, Max, vous n'êtes pas du genre à apprécier ce type de publicité. D'ailleurs, soyons clair : aucun d'entre vous n'a besoin que la police s'intéresse à ses activités. C'est probablement

[13] *Expression d'ordinaire affectueuse, utilisée ici de manière ironique et signifiant « gamin » ou « petit ».*

la raison de votre petite réunion du soir. Vous aviez envie de tout mettre à plat et de vous assurer que vous pouviez encore compter les uns sur les autres.

Justin s'adressa au quatrième convive:

– Dans ce but, chacun est venu avec quelques « amis », qui sont restés dehors. Rien que de très naturel, j'en conviens. Seulement voilà…

Il observa une courte pause, le temps de laisser la curiosité faire son chemin dans l'esprit de chacun. Les uns avait levé un sourcil intrigué, d'autres semblaient soucieux.

Justin acheva son discours en fixant le dernier homme:

– Figurez-vous, Max, que notre ami Wesley avait éveillé les soupçons du Bureau. Et vous n'êtes pas sans ignorer que ses agents sont mauvais pour le business – surtout le vôtre.

– Le Bureau ? s'étrangla le costaud à la veste sombre. On n'a vu ici que les hommes du N.Y.P.D.

Justin eut à son égard une moue condescendante:

– C'est parce que vous ne savez pas vous entourer. Vos gardes du corps, à l'extérieur, doivent encore réviser les bases de leur métier. Il n'a fallu qu'un coup d'œil à mon amie pour repérer les deux agents qui sont installés à l'étage, de l'autre côté de la rue.

– C'est du bluff, fit le second.

Justin l'invita d'un geste large à se diriger vers la fenêtre.

– Helena ? fit-il sans quitter l'homme des yeux. Tu peux renseigner notre ami Max ?

– Écartez doucement le rideau, conseilla Helena quand l'homme fut devant la fenêtre. Sinon, vous serez repéré et photographié.

L'homme hésita un instant. Il renifla avec méfiance, puis jeta un œil rapide dans la rue.

– Merci également de ne pas tenter d'alerter vos gardes du corps, prévint Helena.

– Ça va ! râla l'homme. Je t'écoute, et j'espère que tu dis vrai, gamine !

Helena ne bougea pas un cil. Elle conservait son arme rivée à la tempe du barman et récita:

– L'immeuble à façade jaune, de l'autre côté de la rue. Au troisième étage, la deuxième fenêtre à partir de la gauche. On y distingue des voiles gris.

L'homme suivait ses instructions, il accusait réception en émettant des grognements entendus.

– Ça y est ? s'assura Helena. Derrière le voile, on distingue le téléobjectif puissant qu'affectionnent les membres du Bureau quand ils veulent compléter leurs dossiers.

L'homme étouffa soudain un juron.

Il laissa retomber le rideau et revint prendre place à la table, le visage fermé.

– Elle dit la vérité, grommela-t-il en se laissant tomber sur sa chaise.

Le premier hocha la tête avec lenteur :

– D'accord. On t'écoute, le môme. Qu'est-ce que tu proposes ?

Justin croisa les jambes. Il leva les yeux au plafond et parut réfléchir.

– Je ne veux pas me mêler de vos histoires.

– Tu le fais pourtant en venant ici ! le corrigea son interlocuteur avec un air rogue.

– Max ? Le VRAI Max, je veux dire ?

L'homme hésita, avant de céder :

– Ouais, c'est moi.

– Il y en a au moins un ! railla Helena.

Justin lui coula un regard de reproche, avant de reprendre :

– Pour tout vous dire, Max, vos affaires n'ont rien à voir avec les miennes. Un certain Lamar Dawson croupit en ce moment dans le couloir de la mort. Il a été condamné pour un double homicide. J'ai la faiblesse de croire qu'on l'a accusé à tort de meurtres qu'il n'a pas commis.

– Et qu'est-ce qu'on a à voir là-dedans ?

– Vous, sûrement rien. Mais Wesley Knight était le véritable coupable. Et on l'a éliminé, pour éviter qu'il parle.

Un silence lourd tomba sur la pièce.

Chacun ruminait les informations, en pesant le pour et le contre. Fallait-il faire confiance à ce gamin milliardaire désireux de jouer les justiciers ? Ou valait-il mieux se taire et le laisser se débrouiller ?

Justin consulta à nouveau l'écran de son smartphone.

– Bien ! s'écria-t-il. Messieurs, ce n'est pas que votre compagnie me déplaît, mais j'ai juré à mon amie de faire court. Voilà donc ma conclusion : le Bureau va vous coller. Il ne vous lâchera plus. À moins…

Max redressa la tête avec un soudain intérêt :

– À moins ? répéta-t-il.

– Que je parvienne à innocenter Lamar Dawson, en livrant les responsables du double meurtre et de l'exécution de Wesley. Quand ils auront obtenu des résultats, ils rangeront leur matériel et vous pourrez de nouveau vaquer à vos occupations. *Comprende* ?

Max jouait des maxillaires.

– On n'est pas des balances, gamin ! cracha-t-il. Tu t'es trompé d'adresse.

Justin secoua la tête de droite et de gauche :

– Ne vous méprenez pas sur mes intentions. Je veux juste savoir une ou deux choses. Si tout se passe bien, dans quelques jours, le dossier est clos. Et vous êtes de nouveau tranquilles.

Max lança des regards interrogateurs vers ses compagnons qui, un à un, acquiescèrent en silence.

– Soit, soupira-t-il. Qu'est-ce que tu veux savoir ?

Justin frappa dans ses mains avec satisfaction.

– Et bien voilà…

Chapitre 21

L'homme au chapeau beige écrasa furieusement son cigare dans le cendrier. Il avait ouvert la baie vitrée, avant de prendre place dans un large fauteuil judicieusement installé en bordure de terrasse, face à la piscine. La coûteuse sonorisation de la villa dispensait en sourdine l'un de ses albums de jazz favoris. Il s'apprêtait à savourer un moment de calme, à réfléchir aux choix cruciaux qui l'attendaient. Jamais il n'aurait imaginé qu'on viendrait troubler sa tranquillité.

La sonnerie du téléphone l'avait fait sursauter.

En règle générale, l'homme au chapeau beige détestait être dérangé – il était la proie de terribles accès de colère quand on osait l'importuner alors qu'il dégustait un cigare ou un alcool fort.

Il darda un regard incandescent vers l'appareil qui faisait montre d'insistance. Le signal entêtant déchirait le silence de la vaste pièce, ses stridences ricochaient sous la voûte avant d'aller se perdre dans le jardin.

Pour se forcer au calme, l'homme au chapeau beige se massa les tempes avec application.

Seule une poignée d'hommes, strictement sélectionnés, possédaient ce numéro.

On n'ignorait rien de son caractère difficile. Jamais on ne l'importunait à la légère… Mi-résigné, mi-furieux, il fit claquer sa langue, tendit une main ferme et se décida à décrocher.

– Max a eu des soucis, annonça sans préambule son interlocuteur.

L'homme au chapeau beige se raidit.

– Lequel ? grinça-t-il.

Sa voix était devenue métallique, au point que son correspondant marqua un temps d'arrêt avant de poursuivre.

– Celui du Wendy's Bar.

L'homme au chapeau beige accusa le choc. L'espace d'un instant, il passa mentalement les différentes possibilités, puis déclara :

– Il fallait s'y attendre. C'est grave ?

– Une intrusion armée.

– Des dommages à signaler ?

– Rien, apparemment.

– Étonnant… Il faudra tâcher d'en savoir plus.

– Je m'en charge.

– Très bien. J'attends des nouvelles. TRÈS VITE.

Sa voix s'était faite grondante sous l'effet de la colère.

Son interlocuteur ne s'y trompa guère :

– Vous pouvez compter sur moi.

L'homme au chapeau beige raccrocha avec violence.

Il se leva, fit quelques pas vers l'intérieur de la maison. Il demeura un moment indécis, le regard vague errant à la surface de son grand bureau d'acajou, sur les étagères ornées de bibelots. Puis il s'ébroua et sortit sur la vaste terrasse qui courait tout au long de la maison, orientée plein sud. Il posa les mains sur la rambarde et s'accorda une pause, en contemplant l'horizon. Il offrit son visage à la brise marine et admira l'océan, puis les plages où quelques promeneurs s'attardaient encore. Il nota la présence incongrue d'un homme en costume, portant une canne dans une main et ses chaussures dans l'autre, qui trempait ses pieds dans les vagues. Baissant les yeux, l'homme au chapeau beige s'assura que les caméras de surveillance balayaient les alentours de la propriété et son parc.

Rasséréné, il haussa les épaules et retourna à l'intérieur. Une fois la baie vitrée refermée derrière lui, il s'installa à son bureau. Il se pinça la lèvre inférieure, réfléchit un moment et décrocha enfin le téléphone.

Il convenait d'accélérer, pour ne pas se laisser prendre de vitesse par les événements.

– Plus que quelques jours à tenir… murmura-t-il sans même en avoir conscience.

Lamar Dawson serait bientôt exécuté.

Ensuite, toutes les pistes seraient effacées.

Jamais on ne pourrait remonter jusqu'à lui… Il aurait gagné, et le jeu en valait la chandelle, cette fois ! On ne badinait pas avec un contrat de cette importance. Il serait riche, immensément riche. Il partirait loin, hors d'atteinte.

L'homme au chapeau beige sourit. Il avait mené toute cette opération de main de maître, personne ne viendrait le priver de la victoire. Tous ceux qui chercheraient à s'interposer seraient balayés.

À cette seule idée, son sourire s'élargit encore.

Bien sûr !

La solution était simple et redoutablement efficace…

Il composa un numéro avec fébrilité.

– C'est moi, dit-il quand il obtint son correspondant.

– De qui s'agit-il ?

– Max. Le Wendy's Bar, à Brooklyn. Le plus tôt possible.

– C'est comme si c'était fait.

L'homme au chapeau beige raccrocha aussitôt.

Il s'efforça de se détendre et domestiqua peu à peu sa respiration.

Une autre piste allait bientôt s'effacer.

Avec un sourire gourmand, il s'empara d'un nouveau cigare et le fit tourner devant la flamme de son briquet.

Personne ne le dérangerait plus, il en avait acquis la certitude.

Chapitre 22

Cédant à l'injonction d'Helena, Justin était sorti du Wendy's Bar le premier. Il avait piqué droit sur la *Quattroporte* et vit avec soulagement que la jeune femme quittait à son tour le bâtiment. Quand ils étaient repassés par les cuisines, elle avait tenu parole, abandonnant un jeu de clefs à Lincoln et Charly, qui purent se débarrasser de leurs menottes.

Tandis que les deux cuisiniers se frottaient les poignets en maugréant, la jeune Asiatique était restée en couverture dans le passage, arme au poing. Elle lançait de fréquents regards par-dessus son épaule et, à l'instant précis où Justin avait atteint la voiture, elle avait quitté son poste pour le rejoindre à foulées rapides.

– À bord ! Vite ! ordonna-t-elle en déverrouillant les portières.

Justin ne se le fit pas dire deux fois. Il sauta à l'intérieur de l'habitacle et agrippa sa ceinture de sécurité. Helena démarra sans attendre, dans un hurlement de pneus. Elle redoutait que les truands, pris de remords, ne décident soudain de lancer leurs hommes de main à la recherche des fuyards.

– Il faudra peut-être songer à acheter des vitres pare-balles, râla Justin que l'accélération brutale collait à son fauteuil.

La ceinture de nylon lui enserra soudain la poitrine. Insensible à ses protestations, Helena virait sèchement sur la droite. Elle lançait son bolide à tombeau ouvert dans les ruelles du quartier. La jeune Asiatique effectua plusieurs manœuvres similaires. Les brusques changements de direction étaient destinés à identifier un éventuel poursuivant. Ils avaient pour effet de secouer Justin de droite et de gauche. Il serra les dents, agrippa la poignée de la portière et lutta pour conserver l'équilibre.

– C'est donc ça, ce qu'on ressent dans un jet de l'armée ? railla-t-il quand elle ralentit enfin.

Il ne s'offusqua pas de son absence de réponse et se contenta d'observer le profil magnifique de la jeune femme.

– Et sinon, pour les vitres pare-balles ? Désolé d'insister, mais tu as sûrement une adresse à me recommander. Ça éviterait ce genre de pratiques. Je ne critique pas le côté ludique, remarque bien : c'est juste que j'aime autant faire un tour de *roller coaster* à Disneyland…

– C'est bon, lâcha Helena dans un soupir agacé. Personne ne nous suit.

Elle reprit la direction de Manhattan.

– À part ça, j'ai quand même l'impression d'être un peu seul, depuis un moment.

– Pardon ?

– Rien de bien grave... soupira-t-il à son tour. J'ai bien conscience de te déranger, mais j'aime obtenir des réponses à mes questions. N'y vois surtout pas une manifestation de harcèlement moral, mais plutôt une certaine forme de curiosité et d'intérêt pour ton travail passionnant.

Elle lui décocha un sourire lumineux.

– Ce que tu peux être crétin, parfois.

– Madame est indulgente.

– Et capricieux.

– Trop aimable.

– Je t'assure que c'est vrai. J'en veux pour preuve que les vitres pare-balles, c'est déjà fait – et depuis un moment.

Elle rétrograda pour adopter une conduite plus souple.

– Quoi ? s'étrangla Justin qui, en dépit du luxueux confort offert par sa voiture, avait eu la désagréable impression de séjourner dans une lessiveuse.

– Les vitres pare-balles. Pour information, monsieur Case, votre véhicule n'est pas une *Quattroporte* standard. J'ai commandé un certain nombre de modifications, figure-toi. Je n'ai pas attendu que tu m'en parles. Je suis responsable de ta sécurité – tu as tendance à l'oublier –, et je fais mon job.

– Des modifications… répéta Justin avec stupéfaction.

– Oui. Ça t'a coûté une petite fortune, mais ça en valait la peine. Vitres à l'épreuve de la plupart des balles du marché. Carrosserie blindée. Pneus increvables.

– Dans ce cas, s'étonna le garçon, pourquoi foncer comme si le diable était après nous ?

– Répète après moi, grimaça Helena : ON N'EST JAMAIS TROP PRUDENT.

Voyant qu'il ne s'exécutait pas, elle pila à un feu rouge. Il fut projeté vers l'avant et libéra un souffle rauque. Il voulut râler, mais constata qu'Helena le fixait de son regard sombre :

– J'écoute !

Justin leva au ciel des yeux suppliants.

– Continue comme ça, et je serai bientôt trop mort pour avoir besoin d'être protégé… gémit-il.

– Justin !

– On n'est jamais trop prudent ! finit-il par réciter en levant les mains pour signifier sa reddition. Ça ira, comme ça ?

Visiblement satisfaite, Helena reporta son attention sur la circulation et mit le cap sur le pont.

Après avoir recouvré ses esprits, Justin pianota le numéro de Sonny Boy sur le clavier de son smartphone. Le hacker répondit aussitôt :

– Tout va bien ? Je me faisais un sang d'encre !

– R.A.S., Sonic. Tu peux respirer à fond.

– Très drôle ! Du nouveau ?

– Oui – et pas qu'un peu !–, mais j'ai une mission urgente pour toi.

– Je t'écoute.

– Tu as les moyens de contacter l'agent Craven sans être identifié ?

– Tu rigoles ? s'offusqua le hacker. C'est l'enfance de l'art !

– Simple vérification, tempéra Justin. Dans ce cas, je voudrais que tu l'appelles et que tu lui signales qu'il y aura bientôt du grabuge à Brooklyn.

Sonny Boy tressaillit.

– Vous avez eu des problèmes ? coassa-t-il. Helena va bien ? Vous êtes sains et saufs ?

– Oui, mon ami : TOUT va bien. Je me disais simplement que notre intervention n'est pas passée inaperçue. Or, il y a eu assez de cadavres dans cette histoire. Mieux vaut prévenir que guérir.

– Ok. Je joins le Corbeau.

– Merci, Sonic. N'entre pas dans les détails.

– Aucun danger !

– Génial. Je te rappelle dans un moment, j'ai de nouveaux éléments que j'aimerais te voir entrer dans la base de données.

– Ça avance ?

– Je crois, oui.

– Cool. J'attends ça avec impatience.

Le hacker raccrocha.

– Et maintenant ? demanda Helena tandis qu'elle engageait de nouveau la *Quattroporte* sur le pont de Brooklyn.

Justin se perdait dans la contemplation des lumières de Manhattan.

La ville s'apprêtait à affronter une nouvelle nuit, elle resplendissait de mille feux. Ça n'était pas une légende : New York ne dormait jamais.

– On va aller rendre visite à la femme de Dawson, annonça-t-il. Ensuite, s'il nous reste du temps, nous repasserons au bar où Lamar est supposé avoir commis son double assassinat.

Soucieuse, Helena consulta l'horloge du tableau de bord.

– Et le rendez-vous chez Sonny Boy, à 21 heures ? objecta-t-elle.

– Plus le temps, on laisse tomber. On règlera les détails par téléphone. Le temps est compté.

– Donc, résuma Helena, Spanish Harlem, premier arrêt ?

– Oui.

Il lui précisa l'adresse, qu'elle entra dans la mémoire du G.P.S.

– Tu penses que les révélations de Max avaient leur importance ?

– Oui.

– Il n'a donné aucun nom, fit-elle remarquer.

– On n'en donne jamais, dans ce milieu. Mais on sait maintenant que Wesley Knight n'a pas été assassiné par un homme seul, mais par deux hommes, venus l'éliminer.

– Tu ne m'ôteras pas de l'idée qu'il connaissait leur identité.

– C'est possible. Mais il ne la livrera à personne. Donner ce type d'informations, dans le Milieu, c'est signer son arrêt de mort. En revanche…

– Quoi ?

– Il y a de fortes chances qu'il prévienne ses complices que nous enquêtons sur cette affaire et que nous progressons. Je suis prêt à parier gros que nous allons assister à des réactions en chaîne.

– C'est la raison pour laquelle tu veux retourner à l'autre bar ce soir.

– Ma chère, vous lisez dans mes pensées !

Helena conduisait d'une main ferme, menant en souplesse le bolide vers sa destination.

– La prochaine nuit va être courte, murmura-t-elle.

– Yep, admit Justin. Celle-là… et les suivantes.

Chapitre 23

Après consultation de sa montre de gousset – une folie, qu'il s'était offerte chez l'un des joailliers parisiens qu'il adorait –, Matthew Slides avait repris le chemin de la navette fluviale. Il avait sauté à bord juste avant la fermeture des barrières et, le souffle court, avait accédé au pont supérieur d'où les derniers voyageurs – pour la plupart des touristes – pouvaient contempler Manhattan dans sa robe de lumières.

Il soupira d'aise quand le bateau quitta l'embarcadère. Jamais il ne s'était lassé du spectacle de cette ville rayonnante au cœur de la nuit. Dans les années 80, il aurait aimé emprunter le bateau en compagnie de Meg Ryan, cette actrice au physique touchant.

– Ah ! soupira-t-il. Meg…

C'était une fille aux antipodes des canons de beauté en vigueur – la mode était alors aux *bimbos* siliconées qui horrifiaient Matthew ! Simple, saine et possédant un charme qui faisait fondre Slides... et la plupart des autres hommes de la planète, à la vérité. La jeune femme avait eu son heure de gloire, portant à la seule force de son sourire de nombreuses comédies romantiques. Matthew n'avait pas été le seul à y succomber.

L'ancien avocat se surprit à l'imaginer adossée au garde-fou, les cheveux dans le vent.

« Assez rêvassé ! se sermonna-t-il. Un vieux croûton dans ton genre ne doit pas se nourrir de faux espoirs. Le monde ne t'appartient plus. Justin et les siens ont pris la relève ! »

En formulant cette dernière idée, il sentit un pincement au cœur.

Justin avait traversé des périodes funestes. Le jeune homme avait fait montre d'une force de caractère peu commune, pour se relever après de terribles drames. Il y avait eu la mort tragique de Judith, la mère de Justin. Matthew lui-même avait été bouleversé par la disparition de cette femme qu'il considérait comme sa sœur.

Personne n'avait eu le loisir de faire le deuil, car l'abominable nouvelle avait été suivie d'un autre formidable coup du sort – c'était à croire que les dieux avaient décidé de poursuivre la famille Case !

Adrian, le père de Justin, avait été accusé du meurtre de sa femme.

Accusé… et condamné.

En quelques mois, le malheureux Justin avait perdu ses deux parents. Matthew avait alors assumé son rôle de parrain, passant le plus clair de son temps en compagnie du jeune homme, partageant ses peines, ses espoirs… et son inextinguible envie de justice, comme une revanche sur cette erreur judiciaire.

Matthew Slides, lui non plus, n'avait jamais accepté le verdict de la Cour : non, Adrian Case n'était pas l'assassin de son épouse. Justin et lui avaient un jour conclu un pacte. Ils s'emploieraient à démontrer l'innocence d'Adrian Case, afin de rétablir son honneur bafoué. Et ils trouveraient le véritable assassin de Judith, pour que justice soit faite.

« Mais ça ne les ramènera pas pour autant ! siffla une petite voix dans la tête de Matthew. Tu le sais, mais tu refuses de l'admettre. »

Slides secoua la tête pour chasser au loin ces pensées parasites.

Il reporta son attention sur Manhattan et ses étoiles de néons.

Le spectacle lui mit du baume au cœur.

Il avait bien fait de ne pas rejoindre Justin à Brooklyn. Comme il s'en était douté, le Corbeau avait décidé de le suivre.

L'agent spécial Craven était du genre acharné. Il avait supervisé toute l'enquête qui avait mené à l'incarcération et la condamnation d'Adrian Case et, en dépit des plus vives protestations de la famille et des amis du défunt, n'avait jamais rien voulu entendre. Pire encore, il demeurait persuadé qu'Adrian n'avait pas agi seul et soupçonnait Justin de s'être rendu complice du meurtre.

À la seule évocation du Corbeau, Matthew s'était mis à grimacer sans en avoir conscience. L'agent Craven était obsessionnel, sa haine était communicative, elle salissait même ceux qu'il s'était mis en tête de poursuivre. Benjamin Craven s'était juré de démasquer Justin, il ne perdait jamais une occasion de lui nuire. Pour preuve, chaque fois que le jeune homme séjournait à Manhattan, le Corbeau n'était jamais bien loin...

Une fois de plus, il était passé à l'attaque.

Mais l'agent Craven était trop sûr de lui. Au point que, pour des hommes tels que Matthew, il en devenait prévisible. Ainsi, dès qu'il avait quitté l'antenne du F.B.I., Slides s'était appliqué à s'éloigner de Justin.

Il supposait que les agents missionnés par Craven ne le lâcheraient pas...

Il ne s'était pas trompé.

Cette fois, pourtant, les hommes du Bureau s'étaient montrés plus discrets. Matthew avait pensé les semer dans le Village mais, mû par un accès de prudence, il avait poursuivi sa démarche de diversion.

Une fois sur le pont du bateau, il n'avait eu qu'un curieux pressentiment, sans parvenir à identifier ses poursuivants. La confirmation de ses soupçons était venue lorsqu'il avait aperçu furtivement deux hommes en noir dans une voiture banalisée – l'un d'entre eux n'était autre que l'agent Craven lui-même, Matthew en aurait mis sa main à couper.

Perdu dans ses pensées, Slides sourit aux anges.

Benjamin Craven n'avait pas résisté à la tentation, il avait voulu participer à la filature...

Dès lors, l'ancien avocat avait pris un malin plaisir à faire durer la promenade, allant jusqu'à se tremper les pieds dans les vagues – lui qui avait une sainte horreur de l'eau de mer et ne tolérait que le bain brûlant de son jacuzzi !

Quand la nuit était enfin venue, il avait repris le chemin de l'embarcadère, pour sauter *in extremis* dans la dernière navette fluviale en direction de Manhattan. Mieux valait ne pas la manquer, si l'on ne voulait pas attendre jusqu'aux premières lueurs de l'aube que le bateau reprenne ses va-et-vient !

Revenant à la réalité, Matthew Slides adopta une attitude parfaitement désinvolte et, bien à l'abri derrière ses lunettes noires, il entreprit un gros effort de mémoire, à l'issue duquel il parvint à identifier ses deux poursuivants. Il lui avait suffi d'observer les passagers pour que deux d'entre eux lui reviennent à l'esprit. Il s'agissait de deux hommes discrets, aux allures banales. Ils pouvaient passer pour de parfaits quidams, bien que leurs gabarits de sportifs accomplis ne trompent pas longtemps l'observateur averti. Ils ne se parlaient pas, ne se côtoyaient pas, pourtant ils n'étaient jamais bien loin l'un de l'autre.

– Je vous ai reconnus, sifflota Matthew entre ses lèvres. Et je vous souhaite bon courage, parce que la promenade n'est pas finie !

Il s'adossa à la rambarde du pont supérieur, renversa la tête et se laissa bercer par le roulis du bateau.

Là-bas, Manhattan dressait sa silhouette majestueuse, auréolée de nuées de lumières semblables à des rivières de diamants.

Matthew Slides dévoila une dentition de carnassier.

Il se sentait épuisé, mais fier d'avoir joué son rôle à merveille.

Cédant à une impulsion, il se mit à claironner :

– New York, New Yooooork !

Chapitre 24

Pour atteindre l'appartement de Lamar Dawson, il suffisait de remonter la 3ème avenue en direction du Nord de Manhattan, dépasser Central Park et poursuivre jusqu'à *El Barrio*, comme on appelait aujourd'hui Spanish Harlem. Autrefois, on évitait ce quartier : on redoutait la violence de ses rues, la loi des gangs… Mais les choses évoluaient, à New York comme ailleurs. Le ghetto d'hier était devenu un quartier où toutes les populations s'installaient librement, et si *El Barrio* demeurait peuplé en majorité par des Portoricains, les deux cents blocs de HLM cernant l'avenue accueillaient à présent une foule variée.

Helena gara son véhicule dans un garage souterrain.

Ils trouvèrent l'adresse sans problème et se lancèrent à l'assaut des escaliers. La famille Dawson occupait un appartement joliment arrangé, au huitième étage d'un de ces immeubles bâtis dans les années 40. Le bâtiment était calme, très propre. Aucune nuisance sonore ne venait en troubler la paix. On était à mille lieues des images colportées depuis des lustres.

Soucieux de ne pas déranger les enfants, qui devaient probablement dormir à cette heure, Justin renonça à sonner. Il se contenta de frapper deux coups discrets à la porte.

June Dawson leur ouvrit, après avoir observé les visiteurs à travers le judas. Elle leur sourit et les fit entrer.

– Pardonnez le manque de rangement, s'excusa-t-elle aussitôt, mais je vis seule avec mes enfants et…

Elle s'interrompit, leva une main tremblante devant ses lèvres et demeura incapable de parler.

– Vous n'avez pas à vous excuser de quoi que ce soit, madame Dawson, la rassura Justin. C'est nous qui venons vous déranger à une heure tardive et nous en sommes désolés. Hélas, le temps manque et…

– Ne soyez pas désolés ! l'interrompit-elle. Je sais ce que vous faites pour Lamar et je vous en remercie du fond du cœur.

Elle les invita à prendre place au salon. Helena et Justin s'assirent côte à côte dans le divan.

June Dawson opta pour un fauteuil qui leur faisait face. C'était une femme magnifique, qui devait approcher la quarantaine. De longs cheveux bruns encadraient un visage que la fatigue et le stress accumulés rendaient pâle.

– Je ne vous propose pas un café aussi tard ? Vous préférez sans doute boire quelque chose de frais ?

– Un café sera parfait, assura Helena. Nous avons encore de longues heures de travail devant nous.

June se leva aussitôt et fila vers la cuisine.

– Je vous demande pardon, bredouilla-t-elle. Je… Je n'ai plus toute ma tête, depuis que…

À nouveau, sa voix s'étrangla.

Justin lança un regard éperdu vers Helena, qui hocha la tête et rejoignit June Dawson à la cuisine.

– Laissez, fit la jeune Asiatique en trouvant la malheureuse devant les fourneaux, où elle semblait perdue. Dites-moi simplement où se trouve le café et je vais m'en occuper.

– Je suis tellement désolée, sanglota June Dawson en se séchant les yeux.

– Nous comprenons, madame Dawson, affirma Helena. Si vous le permettez, je m'occupe de tout. Allez donc vous asseoir au salon, je serai là dans deux minutes.

June Dawson bredouilla des remerciements, puis elle alla retrouver Justin. Comme elle l'avait promis, Helena ne tarda pas à les rejoindre avec trois tasses, du sucre et un pot de café fumant. Elle fit le service, tandis que Justin déposait un dossier sur la table basse.

June Dawson tourna lentement la cuillère dans sa tasse.

– Je ne vous ai pas remercié, depuis que vous m'avez contactée, monsieur Case.

– C'est inutile.

– J'insiste. Mais j'ai une question.

– Je vous en prie.

– POURQUOI faites-vous cela ?

Le ton de June Dawson avait durci.

Justin la considéra en silence.

– J'ai besoin de savoir, monsieur Case. Vous...

Se sentant submergée par une nouvelle crise d'angoisse, elle s'excusa d'un geste de la main avant de reprendre courageusement :

– Lamar s'est toujours débrouillé seul, vous savez ? Il... Personne ne l'a jamais aidé et...

– Je comprends parfaitement ! affirma Justin. Disons qu'en décidant d'aider votre époux, c'est moi que j'aide également.

Elle le dévisagea, incrédule.

– Je ne comprends pas.

– Ma famille a été victime d'une terrible erreur judiciaire. Je ne supporte pas d'assister à de nouvelles tragédies sans réagir. Je suis intimement convaincu que votre mari est innocent, madame Dawson. Sinon, croyez bien que jamais je ne vous aurais contactée.

– Oui ! s'écria-t-elle en secouant la tête. Oui ! Lamar est innocent. Il n'aurait jamais fait une chose pareille !

Justin leva les mains pour l'inviter au calme.

– Nous allons tout faire pour l'innocenter et vous le ramener, madame Dawson.

– June.

– Très bien. J'ai besoin de vous, June. J'ai ici des documents que je vais vous demander d'étudier attentivement, afin de répondre à mes questions. Vous en sentez-vous la force ?

Elle se redressa dans son fauteuil, posa sa tasse sur la table basse et lissa sa robe.

– Oui.

– Parfait. Alors, voici des photos. Reconnaissez-vous l'un de ces hommes ?

Il étala, pêle-mêle, les divers documents que lui avait remis Sonny Boy, évitant cependant de présenter les photos des cadavres.

June Dawson saisit un à un les clichés, sous les regards de Justin et Helena. Elle étudia chaque photo avec soin et finit par en isoler une, qu'elle tendit à Justin.

– Lui, souffla-t-elle. Je le connais. C'est un ancien « ami » de mon mari.

Elle leur présentait l'un des portraits de feu Wesley Knight.

– Vous le connaissez ? insista Justin. Vous l'avez déjà rencontré ?

– Oui. C'était un camarade de Lamar. Il... Il l'avait rencontré au pénitencier de...

Elle s'interrompit brusquement.

– Continuez, l'encouragea Justin. Je vous en prie.

– Lamar est un homme bien ! gémit-elle soudain. C'est un travailleur honnête, un bon père de famille qui veille sur ses enfants.

Justin signifia son total accord.

– Nous n'en doutons pas une seconde, June. C'est pour cela que nous sommes ici.

– Seulement, voilà. Il a eu de mauvaises fréquentations quand il était jeune. Il a fait... des bêtises. Quand je l'ai rencontré, il essayait de prendre ses distances avec le milieu dans lequel il avait grandi. Nous nous sommes mariés, mais il a été retrouvé par d'anciennes connaissances.

– Et il a participé à un braquage, poursuivit Justin. Il était le chauffeur. J'ai effectué quelques recherches à son sujet, June. Ne vous en faites pas. J'ai le sentiment que tout cela, c'est de l'histoire ancienne et que Lamar n'est plus le même homme. Hélas, pour en convaincre les juges, nous avons besoin de tous les renseignements qui pourraient nous aider à y voir plus clair. Vous comprenez ?

Elle opina en silence et fit de visibles efforts pour ordonner ses pensées.

– Lamar a toujours été fidèle en amitié. C'est ce qui lui a coûté plusieurs années de prison. Quand il est sorti, il m'a juré que plus jamais il ne replongerait. Il a trouvé du travail, nous nous sommes installés ici. Nos enfants sont nés et Lamar en a pris soin. Il s'est donné beaucoup de mal, vous savez ?

Justin acquiesça en silence. Quand elle évoquait son époux, June Dawson avait des accents de vérité bouleversants. Le jeune homme avait envie d'y croire de toutes ses forces : Lamar Dawson était un authentique repenti. On devinait les efforts titanesques qu'il avait dû fournir pour revenir dans le droit chemin. Un ex-braqueur doit gagner la confiance des siens et se montrer irréprochable s'il veut obtenir un job… Lamar avait fait montre d'une force de caractère peu commune. Galvanisé par la naissance de ses enfants, il s'était battu pour cette nouvelle vie. Du reste, les éléments réunis par Sonny Boy en première étude du cas Dawson le stipulaient : Lamar était sérieux, appliqué, irréprochable au travail. Jamais il n'avait été en retard, jamais il ne s'était absenté, jamais il n'avait été malade. Ses collègues et ses supérieurs étaient unanimes : c'était quelqu'un de bien.

Seul le juge en charge du dossier n'avait pas eu la bonté de le croire…

June Dawson s'assombrit avant de lâcher, comme à regret :

– Nous avons cru que ses anciens contacts dans le milieu l'oublieraient…

– Mais un jour, murmura Helena, Wesley Knight est venu vous trouver.

June Dawson enfouit son visage dans ses mains.

– Oui. Il a sonné ici, un soir. Il a demandé à voir Lamar. Il a parlé avec lui, longuement. Quand il est reparti, j'ai voulu discuter avec mon mari, car il y avait ce paquet qui…

– Un paquet ? répéta Justin.

– Ça n'était pas la première fois que Wesley venait nous rendre visite. Au début, Lamar me l'a présenté comme un vieil ami, qu'il n'avait pas revu depuis des années. Et puis il a fini par m'avouer qu'il avait connu Wesley en prison.

Justin s'abstint de tout commentaire.

Il attendit que June poursuive :

– C'est très dur de tenir en prison. Il faut des amis, des détenus avec lesquels vous vous entraidez, vous vous soutenez mutuellement. Wesley a joué ce rôle pour Lamar, ils sont devenus de véritables amis.

– Et Lamar est sorti le premier.

– Il pensait ne jamais revoir Wesley, mais c'est lui qui nous a retrouvés. Au début, il ne nous rendait que des visites de courtoisie, et puis il s'est fait insistant. Presque… envahissant.

– Je vois. Et ce soir-là, il est venu avec un paquet.

– Oui. Il était nerveux. Il s'est isolé avec Wesley dans le salon et je l'ai vu qui remettait une grosse enveloppe à mon époux. Quand je les ai surpris, Lamar s'est troublé. Il a bredouillé des explications bizarres et il est allé glisser le paquet dans l'armoire, sous une pile de draps. Quand Wesley est parti, peu après, j'ai exigé des explications.

Elle s'interrompit et cacha son visage au creux de ses mains.

– Nous nous sommes disputés, sanglota-t-elle. Je lui ai demandé s'il savait ce qu'il faisait… Oh ! Tout est de ma faute !

– Vous vous trompez, glissa Justin. Ce n'est pas votre faute, June.

– Si ! s'écria-t-elle. Je n'aimais pas Wesley, je n'aimais pas sa présence, je n'aimais pas la manière dont il me regardait. Cet homme était… Enfin… Lamar n'était plus comme lui, il avait quitté ce monde-là.

– Et que contenait le paquet ? intervint Helena.

– Un pistolet, avoua June Dawson d'une voix blanche.

Helena ne masqua pas sa surprise :

– Wesley lui a confié une arme ? Dans quel but ? Vous l'a-t-il expliqué ?

– Lamar m'a dit que son ami lui avait demandé de la cacher pendant quelque temps, reprit June sur le ton de la confidence. Il m'a juré que c'était exceptionnel, qu'il ne faisait qu'honorer une dette envers un ami. Il ne cessait de répéter qu'il ne pouvait refuser, en souvenir de tout ce que Wesley avait fait pour lui pendant leur emprisonnement commun…

June lançait de fréquents coups d'œil par-dessus son épaule, pour s'assurer que ses enfants ne s'étaient pas réveillés et qu'ils ne surprendraient pas la conversation.

– Il vous a montré cette arme ? demanda soudain Justin tout en fouillant dans sa liasse de documents.

– Oui.

– Et vous sauriez reconnaître le modèle ?

– Je crois…

Justin exhiba soudain un cliché fourni par Sonny Boy. Le hacker avait effectué des agrandissements photographiques pour isoler l'arme dont Wesley s'était débarrassé.

June l'étudia quelques secondes avant de hocher la tête :

– Oui, ça pourrait bien être celle-là.

– Je vous remercie, June, fit-il en remisant le cliché.

Elle ne cessait plus de pleurer.

– C'est moi qui l'ai forcé à y aller. Il m'affirmait qu'il lui suffisait de garder l'arme à la maison, que c'était l'affaire de quelques jours, mais j'ai refusé de l'entendre. J'étais comme une possédée, je hurlais : « Tu vas la rapporter ! »

Elle s'étrangla un instant et conclut à voix basse :

– Et c'est ce qu'il a fait, le lendemain, pour son plus grand malheur.

Justin interrogea Helena du regard, mais la jeune femme lui signifia qu'il n'y avait rien à ajouter.

Bouleversé par la détresse de June Dawson, le jeune homme se leva :

– Nous allons vous laisser, June. Merci de nous avoir accueillis. Vos renseignements seront utiles pour la poursuite de l'enquête…

– Vous allez le sauver ? le coupa-t-elle soudain. Vous ne les laisserez pas tuer le père de mes enfants ?

Il posa une main sur l'épaule de la malheureuse.

– Nous allons tout faire, June, vous avez ma parole. D'ici là, prenez soin de vous et de vos enfants. Y a-t-il quelque chose dont vous auriez besoin, dans l'immédiat ?

– Non. Merci, monsieur Case. Nous n'avons besoin de rien. Les *Nuyoricans*[14] nous ont ouvert les bras, nous n'avons jamais connu aucun problème. Je vous l'ai dit, Lamar n'a que des amis, ici.

[14] *Contraction de « New York » et de « Portoricans », ce surnom est réservé à la communauté vivant principalement à Spanish Harlem.*

Elle les raccompagna jusqu'à la porte et, quand ils furent dans le couloir, elle leva un visage crispé vers Justin :

– Il… Lamar sera mort dans trois jours, monsieur Case.

Sa voix s'était à nouveau brisée sous le coup de l'émotion.

Ému par sa détresse, Justin prit ses mains entre les siennes.

– Non, June. Cela n'arrivera pas. Faites-moi plaisir : essayez de ne plus y penser. Surtout, prenez soin de vos enfants. Je vous promets que nous allons vous ramener votre mari. Sain et sauf.

Elle secoua la tête, incrédule. Elle ouvrit la bouche, mais fut incapable de parler.

– Lamar sera bientôt de retour, insista Justin. Je m'y engage.

Il prit congé et sortit avec Helena.

Quand ils rejoignirent la *Quattroporte*, Justin était livide.

– Tu t'es avancé un peu vite ! lui lança Helena, non sans inquiétude. Cette pauvre femme va peut-être nourrir de faux espoirs…

– Non, répondit Justin en montant à bord. J'ai encore deux ou trois choses à vérifier, mais je pense tenir une piste, cette fois.

Il saisit son calepin et prit quelques notes.

Intriguée, Helena ne mit pas le contact et attendit qu'il poursuive.

En vain. Justin l'invita d'un geste à démarrer.

– On va au fameux bar où les deux corps ont été trouvés, décréta-t-il. J'ai quelques questions à poser au patron.

– Tu crois peut-être qu'il va tout avouer ? grinça Helena.

Justin exhala un long soupir.

– Tu sais ce qu'on dit ? Qui ne tente rien…

Helena n'insista pas.

Elle démarra en souplesse et roula en direction de Harlem.

Chapitre 25

Sonny Boy considéra le cadran de son cellulaire avec étonnement. Le numéro qui s'affichait était inconnu. Pourtant, aucun étranger ne connaissait son numéro. Était-ce une erreur ? Le correspondant raccrocha à la deuxième sonnerie. Il réitéra l'opération. Puis rappela de nouveau. On avait utilisé le signal !

Le hacker décrocha :

– Oui ? fit-il avec méfiance.

– Sonny Boy ? C'est Matthew Slides, je ne peux pas être très long, je crains que mon portable ne soit désormais sur écoute.

– Pas de danger, l'ami ! répliqua le colosse en pianotant sur son clavier. Accordez-moi deux secondes…

Il écrasa la touche « Enter » et se détendit.

– Lààà ! claironna-t-il. Voilà. Le brouilleur est activé, nous venons de gagner un bon moment. J'ai mis au point ce système, que même les pointures du F.B.I. ne peuvent pas craquer en moins de cinq minutes.

Tout en parlant, il avait déclenché un chronomètre, sur l'écran duquel l'affichage digital se mit à égrener les secondes.

– Allez-y, Matthew, l'encouragea-t-il. Vous pouvez parler sans crainte.

– Je me promène dans East Village, expliqua Slides. Je suis suivi depuis des heures par quelques membres du Bureau, qui ne me lâchent pas.

– Notre ami le Corbeau est obsessionnel ! ricana Sonny Boy. Il finira par se lasser !

– Je ne pense pas, hélas ! coupa Matthew. En fait, j'avais besoin de vous parler parce que j'ai réfléchi à la situation. Plusieurs choses m'étonnent…

– De quoi s'agit-il ?

– J'ai vite compris que je serai suivi et j'ai pris la navette pour Staten Island.

– Jolie promenade, ils ont dû être ravis.

– C'est justement ce qui m'inquiète : les hommes du Bureau étaient après moi, à bord du bateau. Mais aussi SUR PLACE.

– Je ne vois pas ce qui est étonnant.

– Comme s'ils s'attendaient à me voir venir.

– Staten Island ? murmura Sonny Boy. Rien à voir avec notre histoire, pourtant.

– C'est là que je veux en venir, mon jeune ami : j'aurais besoin que vous effectuiez une recherche sur les services de police, pour trouver un lien, même infime, avec notre affaire.

– Un lien avec cette affaire de meurtres sordides ? Les meurtres ont eu lieu à Harlem, puis à Brooklyn. Rien à voir avec les quartiers huppés de Staten Island !

– C'est ce qui m'a alerté, figurez-vous ! s'amusa Slides. De plus, l'agent Craven a évoqué une autre possibilité quand il me tenait dans son bureau. J'ai cru un instant qu'il bluffait mais, à la réflexion…

La curiosité piquée au vif, Sonny Boy attendit.

– D'ordinaire, martela soudain Slides, le F.B.I. n'intervient pas sur une banale affaire criminelle. Le Bureau laisse sans regret ce type de dossiers au N.Y.P.D. À moins que…

– … l'affaire du double homicide cache quelque chose de plus important ! s'écria le hacker.

– Content de vous voir arriver à la même conclusion, se réjouit l'ancien avocat. Bien. Je vous quitte. Je vais encore promener nos amis du Bureau et puis, quand la fatigue m'y contraindra, je sauterai dans un taxi pour rentrer chez moi. Je vous appellerai demain, dès la première heure, et nous confronterons nos idées. Ce programme vous agrée-t-il, cher Sonny Boy ?

– Il est parfait, Matthew. Bon courage pour la suite de la balade. Je m'occupe des recherches.

Le hacker lança un coup d'œil vers son chronomètre digital, dont l'écran affichait 3'45".

Il s'empressa de couper la communication.

Autant ne pas prendre de risques inutiles.

Chapitre 26

Helena avait garé la *Quattroporte* quelques dizaines de mètres avant le bar. Les deux jeunes gens, demeurés prudemment à bord de leur imposant véhicule, peinaient à reconnaître l'endroit qui, la nuit venue, avait une tout autre allure. Certes, la rue était éclairée, mais des établissements nocturnes attiraient une foule compacte. Toute la faune de la nuit était présente sur les trottoirs – dealers, prostituées, clients, touristes, clochards… Une voiture de police, son girophare clignotant sur le toit, passa au ralenti dans l'indifférence générale.

Il ne se passait pas une semaine sans que le Bronx ou Harlem occupent la une des journaux. Si le Bronx avait toujours des allures de Far West, Harlem s'apaisait au fil des années… Mais les armes parlaient encore régulièrement. Comme au temps des pionniers, le plus rapide avait le plus souvent raison.

– Tu ne coupes pas le moteur ? s'enquit Justin.

Helena détaillait la rue.

– Accorde-moi un moment, veux-tu ? lâcha-t-elle en guise de réponse.

Justin n'insista pas. Helena connaissait son travail. Elle était une des meilleures dans sa spécialité, sinon LA meilleure. Autant la laisser faire, surtout en un tel endroit, à une heure aussi avancée de la nuit.

Pour tromper l'ennui – et pour éviter de se laisser gangrener par l'ambiance inquiétante du dehors –, il ouvrit le dossier remis par Sonny Boy et révisa quelques fiches. Il trouva sans problème la partie consacrée au bar et à ses victimes, mais fronça les sourcils à ce sujet.

– C'est léger…

– De quoi tu parles ? fit Helena sans interrompre pour autant son examen des environs.

– Des renseignements à propos des deux victimes supposées de Lamar Dawson. Je n'ai que deux noms et très peu de choses les concernant.

– Et alors ?

– Sonny Boy a pénétré le serveur de la police pour récupérer ces documents. Je m'étonne que leurs fiches signalétiques soient succinctes : d'habitude, on sait tout des victimes – leurs origines, leur adresse, leurs antécédents. Là, je n'ai que des noms...

Helena haussa légèrement une épaule :

– Ce sont peut-être deux pauvres types qui se trouvaient au mauvais endroit, au mauvais moment ?

– Je pense tout le contraire.

N'y tenant plus, Justin saisit son smartphone et appela le hacker.

– Yep, Justin ! répondit Sonny Boy en décrochant aussitôt. Qu'est-ce que je peux faire pour toi ?

– On est devant le bar, tu sais ? Le lieu du double crime.

– Je vois.

– Et j'avais envie de vérifier quelque chose.

– Dis-moi ?

– Tu n'as pas d'autres renseignements au sujet des victimes ?

Sonny Boy émit un bruit vague avec les lèvres :

– Je ne sais plus. Tu dois avoir tout ça dans le dossier.

– Je l'ai sous les yeux, Sonic. Et je n'y trouve pas grand-chose. Deux noms, pas d'adresse… Ça n'est pas suffisant pour se faire une idée précise de leur profil.

– En même temps, se défendit mollement le hacker, ils sont morts…

– Et on ignore la raison de leur assassinat, coupa Justin. Tu sais quoi ? On a fait une grave erreur. On a laissé passer ça, et c'est pourtant l'une des règles d'or : TOUJOURS déterminer les profils avec précision. Quand on ne sait pas à qui on a affaire, impossible de formuler des hypothèses exactes.

– Redonne-moi leurs noms, soupira Sonny Boy.

Justin les épela avec soin.

– J'ai trouvé, fit le colosse après quelques secondes de recherches silencieuses. Le premier est un petit truand du Bronx, l'autre un homme d'affaires.

– Un homme d'affaires ? s'étonna Justin. Dans un endroit pareil ?

– Tu y es bien, toi ! ricana Sonny Boy.

– Moi, c'est pour le travail, coupa Justin avant d'ajouter : tu n'as pas l'air joyeux, Sonic. Je te dérange ?

– Jamais ! le rassura le hacker. C'est juste que Matthew m'a demandé d'effectuer une recherche qui…

Il lâcha une soudaine bordée de jurons.

– Sonic ? Un problème ?

– L'homme d'affaires… Il vivait sur Staten Island.

– Et alors ? Ils sont nombreux, là-bas.

– C'est par rapport à ce que me racontait Matthew. Les enfants… Je crois qu'on tient une vraie piste !

– Explique-moi tout !

– Trop tôt. Laisse-moi un petit moment, pour que je recoupe les infos, mais je crois que je peux arriver à un schéma cohérent.

– Tu me rappelles dès que…

– On a de la visite ! l'interrompit soudain Helena.

Il regarda dans la direction qu'elle pointait du doigt.

Une voiture aux vitres teintées venait de s'arrêter devant le bar. Un homme d'une cinquantaine d'années en descendait, que Justin n'eut aucune peine à identifier, malgré les deux gardes du corps qui l'encadraient.

– Max ! murmura-t-il. Le patron du Wendy's Bar. Comme on se retrouve…

Chapitre 27

Helena avait coupé le moteur, avant d'éteindre les phares de la *Quattroporte*. Pendant un moment, ils avaient observé les alentours. Max avait disparu à l'intérieur du bar depuis une bonne dizaine de minutes, maintenant. Justin et Helena s'apprêtaient à descendre pour se diriger eux aussi vers l'établissement, quand la jeune Asiatique rattrapa son compagnon par le bras.

– Referme ta portière ! ordonna-t-elle. Vite !

Sans chercher à comprendre, il fit ce qu'elle lui demandait. La lumière du plafonnier tardait à s'éteindre. Helena la coupa d'un geste vif et l'habitacle de la voiture fut de nouveau plongé dans la pénombre.

Justin avait beau tourner la tête en tous sens, rien ne semblait justifier la brusque inquiétude de sa compagne.

– Tu m'expliques ? râla-t-il.

– Les deux hommes, là-bas ! souffla Helena. Ils fumaient une cigarette ensemble, de l'autre côté de la rue. Ils viennent de bouger.

– Et alors ?

– Regarde !

Justin constata que deux inconnus s'approchaient à pas comptés de la voiture de Max. En dépit de leurs blousons de cuir, de leurs jeans, de leurs chaussures de sport et des efforts évidents qu'ils fournissaient pour paraître insignifiants, ils étaient athlétiques… et affichaient une allure militaire qui contrastait avec les déplacements chaloupés des habitués du quartier.

– Ils ne sont pas du coin, murmura Helena.

– J'avais cru remarquer ! ironisa Justin.

– Sauf que MOI, je les ai repérés depuis un moment.

Justin décida qu'il était inutile de poursuivre le duel. Il reprit son observation des deux hommes, qui longeaient à présent la voiture côté chauffeur, en arrivant dans le dos du pilote. Ce dernier, resté au volant, fut sans réaction quand l'un des inconnus se pencha à sa fenêtre.

– Nom de… s'étouffa Justin en apercevant l'arme de poing braquée sur la tempe du chauffeur.

– Tu ne bouges pas, décida Helena. Je vais aller y voir de plus près.

– Tu plaisantes ?

– Jamais quand je travaille.

Tout en parlant, Helena avait glissé une main sous son siège. Elle en ramena sa mallette métallique et y préleva deux pistolets automatiques, ainsi qu'un appareil photographique muni d'un téléobjectif.

– Tu sais te servir de l'un comme de l'autre, je crois ?

– Ouais, grimaça Justin qui détestait le ton condescendant qu'elle employait parfois. Je devrais m'en sortir, maman. Promis !

Elle le toisa avec le plus grand sérieux :

– A priori, tu n'auras pas besoin de l'arme. Par contre, ne te prive pas de mitrailler avec l'appareil. On aura sans doute besoin de preuves, si ça dégénère. Personne ne te verra à travers le pare-brise, si tu n'allumes aucune lumière. Et la sensibilité de l'appareil ne nécessite pas de flash. Tu n'auras qu'à zoomer. Ok ?

– Ok. Tu fais quoi ?

Elle se tourna vers la voiture de Max. Le second homme avait pris place à l'arrière du véhicule, juste derrière le chauffeur. Le premier, main armée dans la poche de son blouson de cuir, se dirigeait vers la porte de l'établissement.

– Je vais aller faire un tour au bar. J'ai dans l'idée que Max va avoir des problèmes…

Elle se glissa hors du bolide et referma en silence la portière.

Justin la regarda s'éloigner.

Il regretta de ne pas lui avoir souhaité bonne chance.

Pour lutter contre l'angoisse grandissante, il riva l'appareil photo à son œil droit et zooma.

Là-bas, Helena traversait la rue, elle atteignait déjà la voiture de Max…

Une première détonation se fit entendre.

Puis une seconde, qui fit voler en myriades d'éclats tranchants la vitre du bar.

– Helena ! hurla Justin.

Il régnait à présent une telle panique dans la rue qu'il avait perdu de vue la jeune femme. Partout, on criait, on se bousculait, on plongeait au sol, on se recroquevillait dans l'entrée d'un immeuble…

Une nouvelle détonation couvrit les bruits de la rue.

Une rafale d'arme automatique lui répondit.

Dans le lointain, on distinguait le hululement des sirènes de police.

Justin résista à l'envie de sortir pour retrouver Helena.

« Tu ne bouges pas ! avait-elle décrété. Et tu prends des photos. »

Il s'obligea à mitrailler au hasard, dans l'affolement général.

Chapitre 28

Le moteur surpuissant de la *Quattroporte* rugissait dans les ruelles exiguës de Harlem. Helena maintenait une vive allure, tous feux éteints. À ses côtés, Justin serrait contre lui l'appareil photo, dont la batterie était déchargée après avoir pris des centaines de photos en mode rafale.

Rongé par l'inquiétude, le jeune homme examina le profil d'ivoire de sa compagne. Helena avait les traits creusés par l'effort, elle semblait livide – mais comment en être certain dans les ténèbres de la voiture, que perçaient par intermittence les lumières des réverbères ou des vitrines des magasins ?

La panique était à son comble, quand elle avait surgi comme un diable de sa boîte. Justin s'était cru frappé de stupéfaction devant ce spectacle ahurissant : Helena s'était frayé un passage au milieu des témoins affolés qui fuyaient avec des cris de terreur. L'arme au poing, elle avait rejoint la voiture pour bondir au volant et, sans un mot, avait démarré pied au plancher. Les pneus avaient hurlé de colère en dégageant un nuage nauséabond. Le bolide s'était arraché au bitume. En quelques secondes, il avait atteint une vitesse folle. Sans doute était-ce un miracle, mais Helena n'avait rien embouti en quittant les lieux… ni heurté le moindre innocent.

Mâchoires verrouillées, mains crispées sur le volant, la jeune femme avait exécuté une série de manœuvres savantes pour les éloigner, son passager et elle, du théâtre de la fusillade. Elle y était parvenue en un temps record, mais ne ralentissait toujours pas.

– Nous sommes suivis, lâcha-t-elle dans un souffle.

Pétri d'angoisse, Justin continua son examen. Les phalanges d'Helena blanchissaient sous l'effort. Quelques perles de sueur coulaient sur son front. Quand elle avait sauté à bord, il avait tressailli en découvrant les larges taches de sang qui maculaient son chemisier. Cette vision l'avait tétanisé, mais il n'avait pas eu le temps d'ouvrir la bouche. Plaqué au siège par l'accélération, il avait eu pour seul réflexe de préserver l'appareil et son zoom démesuré.

Depuis, le bolide menait une course folle et l'on devinait, dans le rétroviseur, les phares du véhicule lancé après lui.

Helena braqua soudain à angle droit. La voiture fit une embardée, mais elle réussit à maintenir la direction. La jeune Asiatique accéléra encore, puis posa la main gauche sur la poignée de sa portière.

– Attrape le volant ! s'écria-t-elle soudain. Tiens bon !

Sitôt dit, elle serra le frein à main, ouvrit la portière et plongea sur le goudron. Le bruit strident des disques en surchauffe couvrit le cri de stupeur de Justin, qui se pencha pour corriger la trajectoire hasardeuse de la *Quattroporte.*

Par quel miracle le bolide ne percuta-t-il pas un mur ?

Justin n'aurait su le dire.

Comme dans un cauchemar défilant au ralenti, il vit Helena rouler sur le sol, se redresser d'un bond et dégainer. Elle leva son arme à hauteur du visage et, bien calée sur ses jambes écartées, visa crânement la voiture de leurs poursuivants.

Elle vida son chargeur sans une once d'hésitation.

Les balles filèrent avec des miaulements de rage, percutant le moteur, crevant le pneu avant droit et traversant le pare-brise à la hauteur du chauffeur.

Justin libéra un cri de détresse en voyant le bolide se mettre en travers, puis décoller et effectuer une série de tonneaux en direction d'Helena.

La jeune femme ne bougea pas.

Justin, affolé, ferma les yeux quand le bruit effroyable se fit entendre. Il sauta de la *Quattroporte* enfin immobile et se rua au secours d'Helena. Il la trouva debout, très calme. Elle rechargeait son arme.

– Reste à l'abri, lui dit-elle. Je reviens.

Elle marcha d'un pas volontaire vers la voiture qui s'était crashée contre l'angle d'un immeuble. Arme braquée devant elle, elle inspecta l'intérieur puis rengaina et rebroussa chemin.

Elle reprit place au volant, démarra et consentit à allumer les phares après avoir parcouru une centaine de mètres.

– Ceux-là ne feront plus de mal à personne, lâcha-t-elle en guise d'épitaphe.

– De qui tu parles ? coassa Justin qui peinait à mettre de l'ordre dans ses idées.

– Les deux hommes. Ce sont des tueurs. Ils ont exécuté le chauffeur. Max et ses deux gardes du corps ne leur ont pas échappé non plus. Tu avais raison : Max nous a révélé peu de choses, mais c'était déjà trop aux yeux de ses complices, qui le lui ont fait chèrement payer.

– Et toi ? Tu es blessée ! Il te faut un médecin. Laisse-moi le volant, je t'emmène à l'hôpital !

Elle tourna vers lui un visage serein, et lui décocha un sourire dont elle avait le secret :

– Du calme. Tu es mignon de t'inquiéter, mais ce n'est pas mon sang. C'est celui d'un des gardes du corps de Max. Il est mort dans mes bras. J'ai pu lui poser une ou deux questions, et je crois que nous allons avancer, maintenant.

– Des questions ? Mais… Tu es folle ! Ça mitraillait dans tous les sens !

– Je tirais aussi, figure-toi.

– Et les tueurs t'ont identifiée.

– Exact. C'est pour ça qu'ils étaient après nous. Ces gens-là ne laissent pas de témoins. Jamais.

– Tu sais qui les a envoyés ?

– Pas encore, mais avant de filer chez Sonny Boy, on va effectuer une visite.

– Une visite ? balbutia Justin.

– À la morgue.

– À la morgue ?

Helena ralentit l'allure. Elle prit une profonde inspiration et lâcha :

– Justin ?

– Oui ?

– Tu cesses de tout répéter ? C'est fatigant, à la longue…

Il voulut se défendre, resta une seconde la bouche ouverte puis, prenant conscience du ridicule de la situation, partit d'un fou rire nerveux inextinguible, libérant toute la tension accumulée.

– On va aller à la morgue, parce que je veux vérifier une chose que m'a confiée l'homme qui est mort dans mes bras, expliqua Helena tandis qu'il s'essuyait les yeux d'un revers de manche. Si c'est ce que je crois, on a peut-être les moyens d'innocenter Lamar Dawson.

– Et de confondre le véritable coupable ?

– Chaque chose en son temps, monsieur Case ! fit-elle avec une moue ironique.

Chapitre 29

Comme l'avait annoncé Helena, la visite à la morgue fut de courte durée. On regarda avec stupeur entrer par la porte de service cette jeune Asiatique à la chemise poisseuse de sang, et l'on décida qu'il valait mieux ne pas opposer de résistance, en avisant l'arme automatique qu'elle tenait au bout de son bras ballant.

Helena trouva le préposé aux archives.

Elle se fit ouvrir les dossiers, obtint que l'homme consulte un fichier, lui imprime un résultat, le remercia chaleureusement et ressortit avant que l'alarme soit donnée.

La porte s'était à peine refermée derrière elle qu'une sirène puissante se mit à hurler dans la nuit.

– Tu as remarqué ? fit-elle en reprenant sa place au volant. La police intervient toujours très rapidement, ces temps-ci.

Ils retournèrent au building de la *C. & Son Company* et abandonnèrent la voiture au service de nettoyage particulier de Justin, avec pour consigne de soigner particulièrement le nettoyage de la carrosserie et de l'habitacle. Gentleman – et désireux d'éviter les commentaires de ses employés –, Justin avait posé sa veste sur les épaules d'Helena, afin de camoufler sa chemise éclaboussée de pourpre. La jeune femme avait pris soin d'emporter sa mallette, ainsi qu'un petit sac dans lequel elle remisait des affaires de rechange.

Ensemble, ils empruntèrent l'ascenseur privé et se réfugièrent dans le *penthouse*. Là, Helena prit une douche et se changea.

Elle se séchait encore les cheveux, quand elle retrouva Justin au salon. Il consultait les pièces du dossier réuni par Sonny Boy et comparait les documents récupérés à la morgue par Helena.

– Alors ? demanda-t-elle. Concluant ?

– Ahurissant, admit Justin. Tu as peut-être trouvé la parade pour Lamar Dawson.

– Pas tout à fait, mais on s'en approche, corrigea-t-elle.

– Je vais appeler Matthew.

Justin composa le numéro de Slides.

Une voix endormie lui répondit :

– Justin… Cela faisait longtemps.

– Désolé, Matthew, mais j'ai vraiment besoin d'une réponse.

Il entendit que Slides passait une main dans ses cheveux pour les ébouriffer nerveusement.

– Attends, je me réveille, s'excusa l'ancien avocat. Là ! Je t'écoute.

– Tu as le dossier complet de l'instruction ? Celui que t'a remis Will Manning ?

– Sous les yeux. Et je peux te dire qu'il m'en a coûté de le conserver !

– Je veux bien te croire. Nous avons rencontré quelques difficultés, nous aussi. Pardon de te presser, Matthew, mais peux-tu retrouver les résultats de l'autopsie pratiquée sur les deux corps ?

Slides feuilletait les documents tout en écoutant son protégé.

– Ça y est, grogna-t-il.

– À quelle heure le légiste estime-t-il que le décès a eu lieu ?

Un long silence, au bout du fil, précéda une réponse ennuyée de Slides :

– Aucune idée. Cela n'apparaît pas. Curieux, d'ailleurs…

– Pourtant, j'ai ici une copie intégrale de l'acte, qu'Helena a récupéré à la morgue.

– Helena a pu obtenir un papier au service médico-légal ! s'étouffa Slides. Sans mandat ?

– Trop long à expliquer, je te raconterai.

– Et que dit ce rapport ?

– Si mes calculs sont bons, il affirme que les deux hommes ont été abattus entre douze et vingt-quatre heures AVANT que Lamar Dawson ne se présente sur les lieux du crime…

– Quoi ! s'exclama Slides. Tu en es certain ?

– Hélas, oui. Ce qui veut dire…

– Que quelqu'un a fait disparaître des pièces du dossier, déclara lugubrement Matthew. Quelqu'un qui peut librement accéder à la morgue, qui connaît toute l'affaire, et qui s'est empressé d'effacer des pièces compromettantes avant que l'avocat et le procureur n'y aient accès.

– Autrement dit ?

– Il n'y a qu'une possibilité, murmura Matthew Slides, songeur.

Il laissa mûrir ses mots, avant de les libérer presque à regret :

– Notre suspect appartient aux services de la police.

Chapitre 30

Helena s'accouda à la balustrade. Les glaçons teintaient dans son verre de jus de fruits frais. Manhattan s'étendait à ses pieds, océan de goudron arrosé par une pluie d'étoiles. Çà et là, on percevait les sirènes des voitures de police. Dans le lointain, un hélicoptère patrouillait.

La jeune femme exhala un très long soupir.

Elle se sentait fatiguée, mais incapable de dormir.

Elle avait obligé Justin à aller se coucher, lui avait promis de faire de même, dans l'un des somptueux canapés qui meublaient le salon. Elle l'avait embrassé chaleureusement quand il s'était résigné à l'écouter.

– À cause de tout ça, on n'a pas pu faire le point avec Sonny Boy, râla-t-il.

– Nous irons chez lui demain, l'avait-elle rassuré. Tu auras besoin de tous tes esprits. Matthew lui-même dort, en ce moment. Demain est une journée importante, et il faudra être performant…

Il avait cédé, mais seulement après avoir noirci quelques pages de son calepin, qu'il avait abandonné sur la table basse.

– Je te le confie ! avait-il dit avant de disparaître.

Helena retourna dans le salon. Elle ferma soigneusement la baie vitrée, et le silence revint dans la salle.

Elle marcha jusqu'au canapé, s'assit sur l'un des voluptueux coussins qui l'agrémentaient et s'empara du carnet, qu'elle feuilleta.

Elle sourit à la découverte des dernières notes de Justin.

Assurément, répondre à ces questions, c'était résoudre l'affaire…

Et sauver Lamar Dawson.

Le smartphone de Justin avait été mis à charger sur son support. L'écran s'éclaira soudain. Intriguée, Helena se pencha vers l'appareil, où le portrait de Sonny Boy était apparu.

Elle effleura le verre et un texte étrange apparut.

« Ai beaucoup étudié le programme
et obtenu des intention de votes pour
les résultats des sondages
et les divers renseignements sur la candidate.
Vous avez ses coordonnées.
Elle appelle rarement
Mais dès demain
elle devra passer chez sa mère.
Je joins Ingrid et Matthew. »

Helena fronça les sourcils et parcourut le message à plusieurs reprises. Son sens caché lui sauta au visage.

C'était une excellente nouvelle, qui attendrait Justin au réveil !

LE CARNET DE
JUSTIN
CASE

Dissertation Chair

Signature

Dept of Psychology
Institution and Department

Affiliate Faculty
Title

(4)
Member Name (optional)

and Department

9/14/09
Date

Debbie Kirkland Rich
Christie

WILL MANNING

WORK: (011) 550 0456

HOME: (031) 124 4678

mes

Late Edition
Today, periodic clouds and sun, breezy, mild, high 58. Tonight, mostly cloudy, showers, low 44. Tomorrow, clouds, a shower, high 54. Weather map appears on Page C8.

$2.50

RESTAUR

Pourquoi a-t-on mêlé LAMAR DAWSON à cette histoire et comment a-t-on procédé ?

Pourquoi lui avoir confié l'arme du crime ?

Quand a eu lieu le double homicide ? Pourquoi l'heure du crime ne figure-t-elle pas dans le dossier ?

Qui peut être l'homme d'affaires abattu ?
Pour quelle raison l'a-t-on assassiné ?
Quels rapports avec cette affaire ?

Pourquoi le F.B.I. est-il intervenu ?

Par où commencer pour gagner du temps?
Comment remonter la piste?

Il faudra prévenir le F.B.I. sans que l'on puisse remonter jusqu'à nous.
Agir vite, et tout régler dans les vingt-quatre heures, pour sauver LAMAR D.

UN MESSAGE CRYPTÉ !

DÉCHIFFRE-LE...

10:21

3G

Sonic

Ai beaucoup étudié le programme
et obtenu des intentions de votes pour
les résultats des sondages
et les divers renseignements sur la candidate.

Sonic

vous avez ses coordonnées.
Elle appelle rarement
Mais dès demain
elle devra passer chez sa mère.
Je joins Ingrid et Matthew.

Envoyer

Q W E R T Y U I O P
A S D F G H J K L
Z X C V B N M DEL

SI TU ÉTAIS SONNY BOY
ET QUE TU DEVAIS GUIDER JUSTIN CASE
DU POINT A AU POINT B,
SANS JAMAIS LE PERDRE DE VUE PAR CAMÉRA INTERPOSÉE...
QUEL CHEMIN LUI FERAIS-TU PRENDRE ?

Chapitre 31

Rasé et habillé avec le plus grand soin, Matthew les avait accueillis chaleureusement à la première heure. Il avait été réveillé aux aurores par un appel de Justin. « Changement de programme ! lui avait annoncé le jeune homme, sans préambule. Si tu n'y vois pas d'inconvénient, on débarque avec Helena et on contacte Sonny via Internet. » Toujours prompt à aider son protégé, l'ancien avocat avait accepté de les recevoir.

Du reste, comme il fallait s'en douter, Justin ne demandait pas l'autorisation de s'inviter : il était déjà en chemin. Tout comme ses visiteurs, Matthew avait peu dormi, mais s'efforçait de présenter un visage frais et souriant. Il lança de biais un regard réprobateur à son protégé, qui avait opté pour un jean usé jusqu'à la corde, une paire de baskets de marque et un sweat-shirt ample, dont il avait rabattu la capuche sur ses épaules. Après s'être autorisé un léger haussement de sourcil, Slides renonça à formuler une remarque désobligeante – il estimait pourtant qu'un jeune homme de sa condition se devait d'être toujours impeccable, mais savait Justin parfois hermétique à ses remontrances.

L'ancien avocat arborait quant à lui une magnifique chemise à jabot, dont les poignets étaient attachés par des boutons de manchettes en forme de têtes de mort aux yeux sertis de rubis.

Une lavallière grise, une veste et un pantalon sombre soulignaient sa silhouette d'éternel dandy.

– Pardon d'avance si je garde mes lunettes, avait-il chuchoté à l'oreille d'Helena, mais mon regard injecté est effrayant.

Encouragé par le rire franc de la jeune Asiatique, il avait ajouté :

– La vieillesse est un naufrage et je ne vous ferai pas l'affront d'étaler ma déchéance !

Après une rapide accolade, il les avait conduits dans un interminable couloir, au bout duquel Helena et Justin s'étaient installés dans le salon. L'ancien avocat aimait recevoir ses invités dans cette salle haute de plafond qui, en dépit de ses imposantes dimensions, peinait à renfermer la collection de meubles entassés dans un savant désordre. Slides l'avait baptisée « mon véritable chez moi », et l'on ne savait où donner de la tête : de toutes parts surgissaient les silhouettes inquiétantes de secrétaires précieux, de bibliothèques noires emplies de livres à couvertures de cuir. La semi-pénombre savamment entretenue conférait aux structures de bois des allures de squelettes. Au long des murs décorés de tentures pourpres, des étagères croulaient sous les bibelots, des lutrins dressaient leurs formes effilées, des grimoires entrouverts y trônaient. Certes, des fauteuils baroques tendaient leurs bras de velours aux intrus, mais nul n'aurait su dire si c'était pour les recevoir… ou pour les capturer. Le malaise était amplifié par la présence de sentinelles silencieuses : des animaux empaillés, juchés sur les hauteurs des bibliothèques, posaient sur les convives des regards scrutateurs.

Quiconque entrait ici sans être prévenu éprouvait aussitôt l'envie de fuir – ce qui amusait le maître des lieux au plus haut point. Justin le soupçonnait d'avoir dilapidé des fortunes pour se porter acquéreur de recueils de magie noire, qu'il aimait laisser à la vue de tous, dans le seul but de mettre ses hôtes à l'épreuve.

Helena elle-même était restée quelques secondes en arrêt devant une double page de parchemin exposée dans une vitrine. La feuille ambrée était recouverte de formules latines manuscrites – et totalement hermétiques aux non-initiés.

– Cesse donc de t'en préoccuper ! avait-il lancé joyeusement à la jeune femme tout en l'entraînant par le coude. Tu ferais trop plaisir à Matthew en te laissant ensorceler par ces formules « magiques » !

Slides, par-dessus ses lunettes noires, avait gratifié son protégé d'un clin d'œil complice, avant d'ajouter, pince-sans-rire :

– C'est bien mal me connaître... Ce ne sont que des formules incomplètes, avec lesquelles on ne peut pas lancer de véritables rituels.

Il tourna les talons et ajouta :

– Les autres sont à l'abri, dans un coffre.

Helena avait cherché confirmation en lançant un regard à Justin, mais il s'était contenté de lui signifier son ignorance.

– Je plaisante ! avait finalement avoué Matthew. En réalité, ces incantations sont complètes. On doit pouvoir lancer les sortilèges, mais comme j'en ignore les effets... Assez bavardé ! Nous avons du travail. Asseyez-vous et commençons, voulez-vous ?

Sur la table basse, ils découvrirent un ordinateur portable équipé d'un écran de 17 pouces, et un plateau d'argent chargé de trois tasses, d'une théière fumante et de nombreuses petites viennoiseries – un caprice onéreux auquel Matthew ne résistait pas : on lui livrait chaque jour ces coûteuses gourmandises mitonnées par un pâtissier français, et il les dégustait au petit déjeuner et au goûter.

– Surtout, n'hésitez pas à vous servir ! insista-t-il, en versant un peu de thé dans une tasse qu'il tendit à Helena. Prendrez-vous du sucre, ma jeune amie ?

– Jamais, dit-elle en tournant la cuillère pour refroidir le breuvage.

Matthew acheva sa besogne, posa une tasse devant Justin et ajouta un peu de lait et trois sucres dans la sienne. Il prit place dans un fauteuil somptueux, tout de noir drapé et croisa les jambes. Il but une première gorgée, s'essuya la commissure des lèvres et déclara :

– La séance est ouverte !

– Tu devrais te connecter sur le serveur de Sonic, fit Justin avec un sourire.

– Déjà ? Nous n'avons pas deux ou trois choses à nous dire ?

Pour toute réponse, Justin exhiba son smartphone, sur l'écran duquel apparaissait le message du hacker. Slides le lut rapidement, avant de lever un sourcil :

– Il code ses messages, murmura-t-il en s'emparant du smartphone pour relire le texte. Voyons….

Son visage s'éclaira :

– Premier mot, première ligne ! Puis deuxième, puis troisième…

– Et on reprend de la même façon au second paragraphe, confirma Helena.

Matthew eut une moue amusée.

– Un codage un peu simple, non ? lança-t-il à l'attention de Justin.

Ce dernier haussa les épaules :

– Il y a sûrement plus complexe, mais Sonic ne peut pas s'en empêcher. L'information n'était pas de la plus haute importance, et puis… Ça l'amuse, tu sais !

Sans plus attendre, Matthew entra l'adresse Internet sur le clavier du *laptop*. Il reprit sa tasse et la leva en direction de l'écran :

– À la vôtre, Sonny Boy !

– Merci, ricana le hacker. Pour moi, ce sera plutôt deux œufs brouillés et des haricots. Je vous attendais.

– Et nous voilà, Sonic ! répondit Justin. Nous sommes prêts.

– Nous ne conviendrons jamais d'un accord culinaire ! s'amusa Slides avant de recouvrer son sérieux. Justin ? À toi de jouer.

Justin reposa sa tasse sur le plateau. Il ouvrit sa sacoche et y préleva le dossier de Lamar Dawson, dans lequel il avait pris soin de classer les nouveaux éléments.

Il s'empara également de son carnet et lut à haute voix :

– Les questions auxquelles il nous faut répondre, si nous voulons avancer, sont assez nombreuses. Voici la première : pourquoi a-t-on mêlé Lamar Dawson à cette histoire ?

Matthew égoutta avec méticulosité sa petite cuillère, avant de l'abandonner au bord de sa soucoupe.

– À l'évidence, on aura voulu lui faire porter la responsabilité du double meurtre. L'assassin s'est chargé de la sale besogne mais, craignant d'être retrouvé, il s'est arrangé pour trouver un coupable idéal.

– Nous en sommes arrivés aux mêmes conclusions, grogna Justin. Mais comment a-t-on procédé et qui est l'assassin ?

– Toujours à l'évidence, reprit Slides, il s'agit de Wesley Knight. Ce qui explique qu'on se soit empressé de se débarrasser de lui, afin de couper court à une éventuelle investigation du F.B.I.

– Et que viennent faire dans cette histoire des gens aussi différents que Lance Simonsen et Philip O'Reilly ?

– Qui ça ? s'étonna Matthew.

Justin agita un index grondeur dans sa direction :

– Monsieur Slides a fait comme moi, le sermonna-t-il. On prend un dossier sans l'étudier à fond ? Pas très sérieux, pour un avocat…

– Toutes mes excuses Votre Honneur, se défendit Matthew, j'ai eu peu de temps pour m'imprégner de la substantifique moelle de cette affaire. Aurons-nous droit à un cours de rattrapage ?

– Fort volontiers, répliqua Justin sur le même ton, mais je cède la parole à Sonic, qui doit brûler de nous livrer de plus amples informations.

À l'énoncé de son nom, le hacker s'éclaircit la voix avant de lire ses notes :

– Il s'agit des deux malheureux qui ont été assassinés à l'origine. Les victimes pour lesquelles Lamar Dawson a été condamné.

– Mmmh, grogna Slides, je vois. Et on en sait plus à leur sujet, je suppose ?

– Oui, poursuivit Sonny Boy. Il s'agit d'un petit truand du Bronx et d'un homme d'affaires résidant sur Staten Island qui…

– Staten Island ? l'interrompit Slides. J'y étais hier. Et le F.B.I. aussi. Ce Lance… Comment s'appelle-t-il, déjà ?

– Lance Simonsen.

– Notre homme devait avoir pignon sur rue, car seuls les plus riches s'offrent des villégiatures là-bas.

– Exact ! ricana Sonny Boy. Il faut disposer d'un joli matelas de billets verts pour s'établir sur Staten Island… Mais vous faites erreur sur la personne. Attention au procès d'intention, monsieur

Slides : il est loin, le temps où les patronymes étaient de bons indicateurs sociaux ! Lance Simonsen n'était qu'un truand de bas étage – un porte-flingue occasionnel, une espèce d'exécuteur des basses œuvres qui louait ses bras et ses armes au plus offrant. Philip O'Reilly, en revanche, est un intermédiaire qui fait fortune depuis quelques années dans le commerce de l'armement.

– L'armement… répéta Matthew. Ce qui expliquerait que le Bureau se retrouve sur les rangs dans cette enquête. En revanche, je ne vois pas ce qu'un « homme d'affaires » aussi important…

– … faisait dans un bar de Harlem en compagnie d'un truand ! intervint Justin.

– Sans doute était-il plus discret pour lui de se déplacer à Harlem ? avança Helena. Dans un tel bar, il savait qu'on ne lui poserait pas de questions gênantes. Il était plus délicat de recevoir un truand chez lui.

– D'autant qu'il occupe une très grande villa, renchérit Sonny Boy.

Justin se redressa :

– Tu as son adresse ?

– Yep. Et j'ai eu un mal de chien à le localiser, parce que feu O'Reilly n'avait aucune adresse officielle à New York. Citoyen sud-américain, il avait établi domicile chez un collègue de travail. Je vous envoie le dossier et tous les éléments liés.

– Citoyen sud-américain ? railla Matthew. Un dénommé O'Reilly ? Et on va encore dire que j'ai mauvais esprit…

– Là, je vous accorde un point ! concéda Sonny Boy. Je suis encore en train de rechercher sa véritable identité, mais le dossier renvoie sur plusieurs pistes, qu'il me faudra croiser. En attendant, jetez un œil là-dessus.

Joignant le geste à la parole, il pressa la touche « Enter » de son clavier. Justin, Helena et Matthew découvrirent à l'écran une grande maison au design moderne. L'immense habitation se composait de plusieurs étages. Depuis l'une des salles du troisième niveau, on jouissait d'une vue imprenable sur les plages. La bâtisse se dressait au cœur d'un parc paysagé, ceint de murs au sommet desquels on pouvait apercevoir des caméras de surveillance.

– Il a pris modèle sur toi, s'amusa Helena en observant les yeux métalliques qui épiaient les alentours sans relâche.

– Un point pour toi ! reconnut le hacker. Une fois trouvée la maison, j'ai tout tenté pour craquer les systèmes de sécurité et infiltrer son réseau de surveillance. Échec, jusqu'à présent, mais je n'ai pas dit mon dernier mot. J'ai donc dû pirater les satellites pour obtenir les clichés suivants et les retravailler. La dernière image – la plus nette – a été prise par l'un des drones[15] qui patrouillent jour et nuit.

Il leur accorda un instant. Le temps pour les trois compagnons de détailler le jardin, la piscine et l'homme au chapeau beige qui parlait au téléphone en faisant les cent pas au bord du bassin.

– De qui s'agit-il ? demanda Justin.

– Si j'en crois le bail dont j'ai retrouvé la trace, nous avons sous les yeux un dénommé Sean McNamara. Intermédiaire richissime, spécialisé dans la vente d'armement lui aussi.

– Mais ? insista Justin en notant le ton agacé du hacker.

– Ça n'est pas son vrai nom, j'en mettrais ma main à couper. Je pense que, comme « O'Reilly », il dispose de plusieurs identités et d'autant de couvertures. Je lui ai consacré deux ordinateurs, qui effectuent les recherches nécessaires.

– Deux serveurs rien que pour lui ? s'étonna Justin. Monsieur est gâté !

– Il le vaut bien... Le premier ordi suit à la trace ses dépenses depuis les six derniers mois. Monsieur McNamara aime les hôtels de luxe et voyage exclusivement sur les grandes lignes, en *business class*.

– Ça arrive à des gens très bien... objecta Matthew avec une pointe d'ironie.

– Ça n'était pas une critique, mais une constatation. L'avantage, c'est que les recherches en sont simplifiées : les hôtels de luxe sont moins nombreux que les autres, et ils sont tous équipés de

[15] Depuis les attentats du 11 septembre 2001, plusieurs grandes villes des États-Unis (dont New York) sont équipées de drones, ces petits appareils robotisés qui sont téléguidés depuis leurs bases et fournissent des images en temps réel. Autrefois utilisés comme espions sur les champs de bataille, ils font aujourd'hui office de sentinelles pour la lutte anti-terroriste.

caméras de surveillance. Je fais donc une recherche sur les déplacements de McNamara, ses dépenses, ses rencontres. La seconde unité est consacrée à des recoupements et à des identifications morphologiques.

– Identifications ? répéta Matthew.

– Quand je retrouve McNamara sur des images d'archives, je le scanne. Je fais subir le même traitement à ses interlocuteurs et je lance une recherche sur les fichiers d'identification de la police. Pour peu que l'un de ces messieurs ait eu droit à une simple contravention, ou qu'il ait déjà été confronté à un service judiciaire, il est fiché. L'ordinateur le retrouve immanquablement. On a parfois des surprises, car c'est l'occasion de découvrir ainsi la véritable identité d'un « client »... ou une autre couverture.

– C'est en tout cas la piste à creuser d'urgence, intervint Justin avec gravité. Nous devons savoir au plus vite qui est réellement ce McNamara. La vente d'armes et la mise en place d'un éventuel trafic : voilà ce qui expliquerait la série d'assassinats et la présence du F.B.I.

– Nous avons en tout cas l'identité des deux morts, même si nous ignorons encore pour quelle raison on les a abattus, ajouta Slides à mi-voix. Trouver la raison de leur assassinat...

– C'est comprendre toute l'affaire et définitivement innocenter Lamar Dawson ! conclut Justin.

Matthew consulta sa montre de gousset :

– Il nous reste un peu moins de quarante-huit heures, pour cela.

– On peut aller vite, fit remarquer Helena, si seulement on trouve le moyen de se débarrasser de nos amis du F.B.I.

– Soyons clairs, renchérit Justin. À mon avis, les hommes de Craven sont en position dans la rue. Ils nous suivent probablement depuis la tour Case !

Sonny Boy s'éclaircit la gorge :

– Je te le confirme. Je les ai repérés à votre sortie de la tour. Un joli dispositif – ils ne lésinent pas sur les moyens. Comme ça m'a un tantinet agacé, je me suis branché sur leur fréquence.

– Joli coup ! Résultat des courses ?

– Ils piaffent d'impatience à l'idée de vous voir ressortir. Ça discute sec et l'agent Craven a du mal à contenir ses troupes. À sa décharge, certains d'entre eux, probablement élevés chez les cowboys, sont à deux doigts de forcer la porte de Matthew…

– Forcer ma porte ? s'étrangla Slides. Et pour quel motif ? J'aimerais beaucoup qu'ils commettent une telle erreur. Je me ferais fort de leur rappeler la loi ! L'agent Craven serait sans doute ravi de rendre des comptes devant la justice.

Justin leva les mains en signe d'apaisement.

– Inutile de partir en guerre. Nous n'en avons ni les moyens, ni le temps.

– Pour les moyens, persifla le hacker, ça reste à prouver !

– Tu ne vas pas t'y mettre aussi ? le rabroua Justin. Restons lucides et concentrés. Tous ! J'insiste sur ce point. Nous devons garder la tête froide : il nous reste encore beaucoup de choses à régler, si nous voulons pouvoir libérer Lamar Dawson.

– Si tu veux, se radoucit Sonny Boy, je pirate les caméras de la rue et je t'envoie quelques plans de nos amis.

– Inutile de perdre notre temps. Trouvons plutôt le moyen de rejoindre Staten Island dans les plus brefs délais, sans avoir ces messieurs-dames sur le dos.

– Staten Island ? s'étonna Helena. Pour quoi faire ?

– Parce qu'en attendant que les machines de Sonny Boy aient obtenu le portrait précis de McNamara, on peut toujours lui rendre une visite de courtoisie. Nous devons tout savoir de lui : c'est un élément clef de cette affaire, sans lequel nous ne parviendrons pas à boucler le dossier.

– Et s'il n'est pas chez lui ? s'entêta Helena.

– On fera le tour du propriétaire. Avec un peu de chance, on devrait trouver des preuves, informatiques ou autres.

– C'est de la violation de domicile ! avertit Matthew.

– Chez un trafiquant d'armes… objecta Justin sans se démonter.

– Il y a quand même un problème, fit remarquer Sonny Boy.

– Je t'écoute, Sonic ?

– La maison de McNamara est équipée et surveillée en permanence. De plus, je n'arrive pas à en craquer le système.

– Tu peux me répéter ça ? s'étouffa Justin. On aurait enfin trouvé un système de protection qui te résiste ?

Le hacker souffla, excédé :

– C'est la première fois que je vois ça. Ce type doit avoir obtenu du matériel militaire ultra perfectionné, je n'ai pas encore réussi à craquer les algorithmes des logiciels, mais…

Justin eut un geste désinvolte :

– Ne t'en fais pas : tu as encore un peu de temps. Tu trouveras bien un moyen avant que j'y entre.

Sonny Boy ne partageait pas son enthousiasme :

– Ouaip, marmonna-t-il. Je vais voir ce que je peux faire.

– En attendant, glissa Helena, le problème urgent, c'est de se débarrasser des chiens de garde du F.B.I.

À son tour, Matthew leva un doigt pour réclamer le silence :

– Pour ça, jeunes gens… commença-t-il avec un sourire gourmand. J'ai bien une petite idée !

Chapitre 32

Benjamin Craven ne put retenir un rictus victorieux quand il vit que les deux jeunes gens ressortaient enfin de l'hôtel particulier de Matthew Slides. D'un index précis, l'agent du F.B.I. régla la visée électronique de sa paire de jumelles. L'appareil militaire fit le point dans un chuintement. Le sourire de l'homme en noir s'élargit : comme il fallait s'y attendre, la secrétaire asiatique et son patron filaient le long du trottoir, longeant le mur de briques.

Parvenus au bout du *block*, ils piquèrent à angle droit.

– Ils sont si prévisibles ! ricana Craven.

Il posa ses jumelles sur le tableau de bord de la voiture et s'empara du micro.

– À toutes les unités ! articula-t-il. À toutes les unités : les cibles se sont mises en mouvement. Je ne veux pas qu'on les lâche. Sous aucun prétexte. Préparez-vous à intervenir à tout instant, dans le métro, dans un parc et même dans un restaurant, s'il le faut !

– Bien reçu ! crachota un premier agent dans le haut-parleur.

Il fut imité par tous ses collègues branchés sur la fréquence.

Un seul d'entre eux, plus zélé que les autres, osa intervenir :

– Agent Craven ?

– Oui ? répondit le Corbeau avec suffisance, tandis que sa lourde voiture s'ébranlait.

– Qu'est-ce qu'on fait pour Slides ? On laisse une équipe ?

Le Corbeau réfléchit une seconde, tout en jouant avec son micro :

– Inutile, finit-il par trancher. On sait que le vieux va encore nous balader à travers Manhattan et ses environs. Je veux le blanc-bec et sa secrétaire et je suis certain que cette fois, nous les prendrons en flagrant délit !

– À vos ordres, fit l'homme avant de raccrocher.

Craven coupa la communication. Il joignit ses mains, entrecroisa ses doigts et fit craquer ses phalanges avec satisfaction. Cette fois, l'intriguant Justin Case et son insupportable garde du corps n'y couperaient pas !

La berline noire longeait la rue, à distance respectueuse des fugitifs. Le chauffeur, taciturne, veillait à ne pas forcer l'allure.

Benjamin Craven se détendit.

Il soupira d'aise, se cala dans le fauteuil et posa sur les deux silhouettes un regard de prédateur. Inconscients de la filature, les jeunes gens marchaient d'un pas léger.

Ils n'échapperaient pas à la souricière.

Chapitre 33

Perdu dans ses pensées, Justin avait fini par oublier la menace du F.B.I. Il songeait à Lamar Dawson, enfermé dans sa cellule, attendant l'heure fatidique. Mentalement, il repassa son carnet en revue.

Les déductions s'enchaînaient. Ils avaient réuni toutes les pièces du puzzle. Ne restait plus qu'à les réorganiser pour obtenir une vision d'ensemble claire.

Qui était Lamar Dawson ?

Un ancien petit délinquant, qui s'était racheté une conduite, avait fondé une famille… et avait été rattrapé par son passé. Justin en avait acquis la certitude : Dawson était un innocent, qu'il fallait faire libérer coûte que coûte.

Il eut un pincement au cœur à l'idée que Lamar puisse payer de sa vie un crime odieux dont il n'était pas coupable. L'image fugitive de son père s'imposa à son esprit : Adrian Case avait été condamné à mort pour un meurtre qu'il n'avait pas commis. Justin, sans être parvenu à en apporter la preuve, le sentait au plus profond de lui. Adrian n'avait pas assassiné Judith, c'était impossible.

Le visage paternel avait pris forme et dansait devant ses paupières mi-closes. Justin dut lutter pour chasser la vision.

Il se pinça l'arête du nez et prit une profonde inspiration.

« Pas maintenant. Je dois rester concentré. Pardonne-moi, papa... »

Il s'ébroua et focalisa son esprit sur l'affaire Dawson.

Wesley Knight était l'assassin, c'était indiscutable.

Comment avait-il procédé ?

Il avait exécuté O'Reilly et Simonsen dans ce bar de Harlem, avec la complicité d'un patron de bar qui avait lui aussi, depuis, payé de sa vie. Knight avait soigneusement nettoyé l'arme du crime, puis avait rendu visite à son vieil « ami » Lamar, sous un prétexte quelconque.

Justin imaginait sans peine les arguments : « J'ai besoin de ton aide. En souvenir du temps passé. Tu me dois bien ça... »

Abusant de la confiance de son ancien codétenu, Knight lui avait remis l'arme sous enveloppe. Il s'était arrangé pour être surpris par l'épouse de Dawson et était reparti, non sans avoir au préalable glissé une adresse à Lamar.

Le piège s'était refermé.

Il ne lui restait plus qu'à retourner sur les lieux du crime pour y attendre la venue du coupable idéal. Peut-être même Wesley Knight s'était-il arrangé pour orienter les caméras de surveillance, dans la rue, afin de ne pas rater l'arrivée de Dawson, qui ne pouvait se douter de rien ?

Chez les Dawson, l'affaire avait été vite réglée.

June, affolée par la soudaine réapparition d'un truand dans la vie de son mari, s'était emportée. Elle avait exigé qu'il se débarrasse de cette arme. Lamar, dépité, confus, s'en était remis à la décision de sa femme.

Dès le lendemain, il avait appelé Wesley Knight.

Ils avaient convenu d'une heure de rendez-vous, et Lamar s'était docilement rendu à l'adresse indiquée. Il avait rendu l'arme au truand... sans prendre l'élémentaire précaution d'effacer ses empreintes et celles de sa femme.

Le tour était joué : sitôt Lamar reparti, Wesley était sorti par la porte de derrière et avait jeté l'arme dans une poubelle, où les services du N.Y.P.D. avaient eu tôt fait de la retrouver.

Justin gardait les paupières closes.

Certes, le *modus operandi* du crime était résolu, mais restaient encore des parts d'ombre... Et la Justice réclamerait qu'on y apporte un nouvel éclairage pour clore le dossier.

Il importait de répondre à toutes les questions.

De proposer un dossier clair.

Des explications limpides.

Peu à peu, les idées se mirent en place. Les questions affluèrent, mais en bon ordre cette fois.

À quel moment Wesley Knight avait-il assassiné ses deux victimes ?

Si l'on s'en référait au déroulement logique de l'affaire, les meurtres avaient été perpétrés longtemps avant l'arrivée de Lamar – entre douze et vingt-quatre heures avant qu'il rapporte l'arme du crime.

C'était l'un des premiers éléments de défense pour innocenter Lamar Dawson : l'autopsie aurait dû révéler cette incohérence. S'il avait disposé du rapport authentique, Will Manning, l'avocat commis d'office, aurait sans doute été à même de faire libérer son client.

Hélas, on avait fait disparaître cette partie du dossier.

Justin nota quelques mots dans son carnet.

La question suivante s'imposait déjà.

Qui avait procédé à cette manipulation illégale ?

Un agent du F.B.I. s'en était chargé, remplaçant les conclusions du légiste par d'autres, erronées, qui accablaient Lamar Dawson.

Justin demeura interdit, le stylo en suspension.

Qui était cet agent ? Quel était son but ?

Un agent gouvernemental pouvait-il sciemment intervenir dans une affaire d'homicide, faussant les jugements ?

Justin émit un grognement de douleur. Il sentait poindre la migraine. Comment prévenir le F.B.I., quand l'un de ses agents était mêlé à cette affaire ? Impossible, avec Craven sur ses traces...

De plus, il fallait avant toute chose éclaircir une dernière partie du dossier, mais par où commencer ?

Après mûre réflexion, Justin opina en silence.

Sans doute l'homme au chapeau beige détenait-il la clé…

Oui, à n'en pas douter, il fallait commencer par là !

Ne pas lâcher McNamara, obtenir un entretien – de gré ou de force ! – et comprendre le rôle exact de l'homme au chapeau beige dans cette tragédie.

Justin saisit son smartphone et appela Sonny Boy.

– Oui, Justin ? fit la voix du hacker.

– J'ai besoin de deux ou trois éléments précis, Sonic. Tes machines tournent toujours sur O'Reilly ?

Chapitre 34

Benjamin Craven avait perdu le sourire. Les deux fugitifs se promenaient depuis plus de trois heures à travers Manhattan. S'ils avaient pris dans un premier temps la direction de la tour *C. & Son*, ils s'étaient ravisés et flânaient maintenant devant les vitrines des boutiques, s'offrant un café et un bagel sucré quand ils croisaient un marchand ambulant, traversant des parcs où ils nourrissaient des écureuils peu farouches…

– Quelque chose ne tourne pas rond ! grinça l'agent.

– Ouais, renchérit le pilote de la Berline noire. C'est évident : on est repéré. Ils nous promènent.

Furieux, l'agent Craven serra les mâchoires.

Il se força à respirer longuement par le nez, puis il prit sa décision.

Il s'empara de son micro et lança l'ordre :

– Appel à toutes les unités. Assez joué. On les arrête.

Aussitôt, des sirènes retentirent partout aux alentours.

Helena et son compagnon se trouvaient au centre d'un petit parc. Perdus dans leur discussion, ils ne levèrent même pas la tête en direction des voitures noires qui arrivaient, dans un ballet de gyrophares. Les pneus produisirent des bruits déchirants et très vite, toutes les issues du square furent bloquées.

Le Corbeau avait sauté hors de son véhicule.

Il dégaina son arme et se rua en direction des deux jeunes gens.

Figés, ces derniers ne bougeaient plus. Ils se tenaient côte à côte et considéraient, interloqués, les hommes en noir arrivant au pas de charge.

– Justin Case ! aboya Benjamin Craven dans son dos. Plus un geste. Vous êtes en état d'arrestation.

Il n'obtint pas de réaction et, fou de rage, posa une main ferme sur l'épaule du jeune homme pour l'obliger à lui faire face.

Il hoqueta de surprise quand celui-ci se retourna tout en ôtant la capuche de son sweat-shirt.

– Peut-on savoir pour quel motif vous désirez m'arrêter, agent Craven ? s'amusa Matthew Slides avec un sourire en coin.

Chapitre 35

La navette fluviale déversa une foule compacte sur le débarcadère de *Staten Island*. Justin Case réajusta d'une pression nerveuse les lunettes noires sur son nez. Les bésicles glissaient en permanence, elles semblaient saisir la moindre opportunité pour tomber, ce qui l'agaçait au plus haut point.

Du reste, il n'était pas à son aise dans le costume de Matthew. Depuis qu'il avait endossé toute la panoplie gothique de l'ancien avocat, il crispait les doigts sur le pommeau de la canne-épée à tête de mort. L'accoutrement de son vieil ami lui donnait l'impression désagréable d'être l'objet de toutes les attentions. Partout sur son passage, on le dévisageait, on commentait sa tenue, on se poussait du coude avec des sourires entendus.

– Mais tu constateras vite, l'avait rassuré Slides, que les gens s'habituent. Ils s'ébahissent d'un rien, puis s'empressent de l'oublier. Au final, moins ton apparence est dans les normes, et plus tu es transparent. C'est le paradoxe de notre temps. Sois certain qu'aucun témoin ne pourra te décrire avec précision : on ne se souviendra que du costume. Tu peux me faire confiance – j'ai des années de pratique derrière moi !

Justin avait accepté le subterfuge en maugréant et s'était habillé sous le regard goguenard d'Helena. La jeune femme s'était gardée de formuler l'une des remarques acides dont elle avait le secret, mais les étoiles allumées dans ses yeux trahissaient son amusement.

Justin avait cependant remporté un semblant de revanche, quand l'ancien avocat avait reparu vêtu du sweat-shirt, du jean et des baskets de son protégé.

– Alors ? avait demandé Slides avec une mine consternée. De quoi ai-je l'air ?

– Tu ressembles presque à un jeune homme, s'était réjoui Justin. À nous deux, nous faisons la paire ! Si d'aventure les affaires venaient à manquer, nous pourrions envisager une grande carrière de duettistes… Tu aimes les spectacles de clowns ?

– N'oubliez surtout pas de mettre la capuche, Matthew ! avait rappelé Helena. Sans elle, vous ne feriez pas illusion plus de deux minutes, avec vos cheveux noir corbeau.

– Exact ! avait souri Matthew. Et puisqu'il est question de corbeau… Ne faisons pas attendre l'agent Craven !

Ils avaient pris congé, abandonnant Justin dans l'appartement.

Resté seul, le jeune homme en avait profité pour régler deux ou trois choses avec Sonny Boy, puis il s'était éclipsé en appelant un taxi. Il avait sauté à bord, sitôt la voiture arrêtée devant l'entrée de l'immeuble. Réfugié à l'arrière du véhicule, il avait lancé de fréquents regards par-dessus son épaule pour s'assurer de n'être pas suivi et s'était fait déposer à Tribeca[16].

Là, il avait marché un moment en restant à l'abri du chapeau prêté par Matthew pour masquer sa chevelure blonde. Soucieux de vérifier que le F.B.I. n'était pas après lui, il avait emprunté des galeries marchandes, était revenu plusieurs fois sur ses pas et avait finalement pris un nouveau taxi pour se faire déposer à Battery Park.

Il avait traversé l'espace vert en souriant aux écureuils gigantesques – certains étaient presque aussi gros que des teckels ! – qui y régnaient en maîtres et avait rejoint l'embarcadère situé à l'extrémité sud de Manhattan.

Il avait enfin sauté dans la navette qui l'avait conduit à Staten Island.

[16] *Quartier de Manhattan dont le nom provient de la contraction de « Triangle Below Canal Street ». On y trouve des boutiques de luxe et des restaurants chics.*

Sans doute avait-il perdu de précieuses heures, en multipliant les précautions, mais il ne pouvait courir le risque d'être intercepté en chemin par le Corbeau ou l'un de ses hommes.

Il posait à peine le pied sur l'île que son smartphone se mit à vibrer.

Justin sourit en direction d'une des caméras de surveillance du port. Sonny Boy veillait au grain…

Il s'empara du contacteur relié à une oreillette et prit la communication :

– Tu as du neuf ?

– J'ai même plus que ça ! annonça le hacker d'une voix tremblante de fierté. C'est de la vraie bombe ! Ça m'a donné du fil à retordre, mais j'ai réussi à remonter la piste de O'Reilly. Figure-toi que notre homme a déjà eu affaire aux hommes du gouvernement.

– Passionnant !

– Tu n'imagines pas à quel point : O'Reilly – ou quel que soit son vrai nom – a été mouillé dans des affaires au Nicaragua.

– Aouch. C.I.A. ?

– Possible. Il a également participé à des « transactions » dans deux ou trois pays d'Extrême-Orient.

– Je vois, fit Justin en hochant la tête.

O'Reilly était probablement de mèche avec la C.I.A. : les affaires se compliquaient… dangereusement.

– Ça expliquerait que les cadavres s'accumulent dans son sillage, intervint Sonny Boy en le ramenant à la réalité. Certains membres de l'Agence ont parfois des méthodes… expéditives.

– Tu lis dans mes pensées, Sonic.

– Pas plus compliqué que de craquer un système informatique…

– Donc, nous partons du postulat que ce O'Reilly travaillait pour des membres de la C.I.A.

– Ou bien qu'il y avait ses entrées, pour services rendus.

– Autant d'identités qu'il le désirait…

– … et toute l'aide nécessaire, le cas échéant.

Les deux amis se murèrent dans une réflexion silencieuse, que Sonic finit par rompre :

– Cela dit…

– Oui ?

– S'il s'agissait réellement d'un membre de l'Agence, il pouvait aussi privilégier sa couverture en restant dans l'ombre. Il avait réussi à approcher McNamara, était tout près d'arrêter les responsables et avait encore besoin de temps. Il rechignait à agir directement et ne voulait pas courir le risque de se mêler à un règlement de compte. De plus, comme tout collaborateur de l'Agence qui se respecte, il devait avoir recours à des hommes de main pour la sale besogne.

– Ce qui expliquerait pourquoi un second couteau comme Wesley Knight s'est retrouvé mêlé à cette affaire !

– Cette fois, c'est toi qui lis dans mes pensées.

– Monsieur est indulgent.

– C'est tout naturel. Pour autant, toutes ces précautions n'auront pas empêché O'Reilly d'être découvert et éliminé.

– C'est pour ce contrat qu'on a embauché Wesley Knight, ok. Mais ensuite ? Pour quelle raison a-t-on assassiné Wesley Knight ?

– Parce qu'il connaissait l'identité du commanditaire principal, pardi !

– Un point pour toi. Et après ? Tous ces hommes qu'on a exécutés ?

– La règle numéro 1 des agents sous couverture comme des trafiquants en tous genres, c'est d'effacer les traces de leur passage. TOUTES les traces. Tiens, un exemple : les hommes qui vous ont poursuivis dans Harlem.

– Ceux dont Helena s'est occupée ?

– Eux-mêmes.

– Et bien ? Qu'est-ce que tu as découvert ?

– Rien.

– Qu'est-ce que tu veux dire ?

– Rien. Nada. Nothing. Aucune trace de la bagarre, aucune trace de leur 4x4. Aucune archive filmée non plus.

– Tu veux dire que…

– … Que tout a été rigoureusement effacé. On a supprimé les bandes filmées, on a fait disparaître le véhicule accidenté. Et on ne saura jamais ce qu'il est advenu des hommes lancés après vous – ni de leur corps. Alors, oui : on peut raisonnablement imaginer que la C.I.A. est derrière tout ça, au vu des moyens dont nos adversaires disposent.

– Ça se tient. Une autre question, si tu permets ?

– Je t'écoute.

– Pourquoi le F.B.I. est-il intervenu ?

Sonny Boy demeura silencieux.

Justin considéra l'écran de son smartphone. L'heure tournait…

– Allez ! supplia-t-il. On manque de temps !

– C'est la seule question à laquelle je n'ai pas encore trouvé une réponse satisfaisante, mais je te prie de croire que j'y travaille avec acharnement. J'ai réussi à nettoyer quelques-unes des photos que tu as prises lors du règlement de comptes à Harlem. Je les ai comparées à celles que j'avais dans le dossier. Mes logiciels d'identification sont en train de faire le reste. Si un élément commun apparaît, je devrais tout d'abord l'identifier, puis récupérer tout son dossier. Nous saurons alors à qui nous avons affaire.

– Si nous finissons par y voir clair, il faudra prévenir le Bureau… Mais sans que l'on puisse remonter jusqu'à nous !

– Ça ne devrait pas poser de problème.

– Tu penses qu'on peut régler ça dans les vingt-quatre heures ?

– Accorde-moi deux petites heures et j'espère tout te dire à propos de notre mystérieux agent.

– *Perfetto !* s'enthousiasma Justin. Sonic ? Tu es le meilleur.

– Ça n'est pas un scoop.

– Et sans conteste le plus modeste d'entre nous, aussi.

– Touché.

– Tu as des nouvelles d'Helena et Matthew ?

Cette fois, le hacker laissa libre cours à son hilarité :

– Craven a mordu à l'hameçon ! s'esclaffa-t-il.

– Tu m'en diras tant…

– À un point que tu n'imagines pas : il vient de les arrêter au milieu d'un parc.

– Avec ménagement, j'espère ?

– Pas pu entendre ce que lui a dit Slides, mais ça a eu le don de l'agacer et il s'est retrouvé menotté.

– Mauvaise idée. Matthew va vouloir se venger…

– Tu veux que je les suive ?

– Si ça t'est possible, tout en me guidant…

– Tu plaisantes ? Depuis quand un système de vidéo-surveillance est-il capable de me causer du souci ?

– Depuis que McNamara en a installé un dont tu ignores le fonctionnement ?

Sonny Boy souffla.

– Pas très fair-play, ça…

– Je te taquine.

– N'empêche que je n'ai toujours pas trouvé l'ouverture. Ce type a fait appel à des militaires, ça ne fait pas un pli. L'algorithme change en permanence, impossible de se caler sur une fréquence…

– Ok. Dans ce cas, on va improviser. Guide-moi simplement jusqu'à la maison d'O'Reilly. Je t'écoute.

Le hacker pianota sur son clavier, avant de réciter :

– Prends la première à droite. Remonte cinquante mètres, avant de changer de trottoir. De nouveau sur la droite, tu verras une petite rue qui grimpe en pente douce. En la suivant jusqu'au bout, tu parviendras aux limites de la propriété de nos amis les marchands de flingues.

– Compris. Je te rappelle quand je suis en position.

Justin s'élança dans la direction indiquée par Sonny Boy.

Il allait raccrocher quand il se ravisa :

– Sonic ?

– Yep ?

– Surtout, ne lâche pas Helena et Matthew. Je compte sur toi !

– Tu devrais dire ça à l'agent Craven ! gloussa le hacker.

Chapitre 36

En entrant chez lui, Matthew Slides massait toujours ses poignets endoloris. « Des menottes… À mon âge ! songea-t-il avec un mélange de résignation et de colère. Il m'aura fallu attendre si longtemps pour connaître cette expérience… »

– Ne frottez pas, conseilla Helena tout en ouvrant sa mallette d'acier, vous ne feriez que prolonger la douleur. Pensez à autre chose et vous ne sentirez bientôt plus rien.

– C'est peu cher payé en échange de quelques heures de promenade avec une femme aussi jeune et jolie ! lui répondit-il avec un sourire enjôleur.

En réalisant qu'elle se raidissait, il se fustigea mentalement : « Ton personnage d'incorrigible séducteur est pathétique, mon pauvre Matthew ! Il est fini, ce temps-là : tu es un vieillard, il te faudra bien l'accepter un jour… »

Il corrigea aussitôt le tir :

– Rassurez-vous, je pense surtout à Justin. Et à l'agent Craven, à qui je réclamerai tôt ou tard une petite revanche.

Il retint un sifflement d'admiration en avisant l'arsenal que contenait la petite valise.

– Vous comptez attaquer une banque ? s'enquit-il.

Helena fixait le harnais d'un holster sous sa poitrine. Elle choisit un pistolet, actionna la culasse et s'assura qu'une première balle montait dans le magasin. Elle remisa l'arme dans l'étui sous son aisselle et replongea dans sa valise de métal.

– Craven avait l'air furieux, lança-t-elle par-dessus son épaule. J'ai bien cru qu'il ne nous lâcherait pas.

– Mais c'est exactement ça : il ne nous lâchera plus ! confirma Matthew. Si je ne lui avais pas énoncé tous les articles de la Constitution violés lors de notre arrestation, nous y serions encore. Notez tout de même que je n'ai pas dit mon dernier mot.

Il s'approcha d'une des fenêtres côté rue et écarta le rideau :

– Ils attendent probablement Justin, maintenant. Ils ont dû cerner le bâtiment et nous ne pourrons pas en sortir sans les avoir immédiatement sur le dos.

– Ça reste à prouver, répondit Helena en enfilant son blouson qu'elle referma aussitôt, faisant disparaître son attirail guerrier.

Elle se dirigea vers une fenêtre opposée et inspecta la cour intérieure avant d'ajouter :

– Je suppose que le toit est accessible par la façade ?

– Oui. Et vous y trouverez des ruches, qui produisent un miel de béton[17] d'une extrême finesse. Les abeilles sont sociables, veillez seulement à ne pas les mécontenter.

– Promis ! répondit Helena avec un large sourire. Nous nous ferons des toasts une autre fois.

Elle retourna près de la table basse et pianota sur le clavier du *laptop* abandonné par Justin.

Le visage de Sonny Boy apparut.

– Salut, la belle ! lança-t-il. Alors ? Pas trop éprouvés par votre séjour dans les pattes du Corbeau ?

– J'ai connu plus hospitalier, grinça Matthew.

– Il faut que je file, coupa Helena. Sonny ? On a bien eu confirmation pour la morgue ?

– Affirmatif. J'ai retrouvé la trace du véritable dossier. Les meurtres, selon l'autopsie restée officieuse, ont bien eu lieu avant

[17] *Spécialité des apiculteurs de Manhattan, qui recueillent un miel très parfumé en élevant des abeilles au milieu de la ville...*

l'arrivée de Lamar Dawson sur les lieux. Presque 24 heures auparavant, en fait.

– Waow ! Ce qui signifie que Wesley Knight lui a apporté le revolver après avoir commis les crimes.

– Oui. Il savait que la femme de Lamar ne supporterait pas d'être en contact avec son ancien ami. Wesley a dû s'arranger pour être surpris au moment où il confiait l'arme. Il supposait que Lamar serait contraint de la lui rapporter au plus vite et il lui a suffi de donner rendez-vous à Dawson sur place, afin que son arrivée soit enregistrée par les caméras de surveillance du quartier.

– Imparable.

– Sauf si on rendait public l'autopsie, fit remarquer Matthew.

– C'est pourquoi on l'a fait disparaître, conclut Sonny Boy, nous en étions parvenus aux mêmes conclusions avec Justin.

– Tu sais où il est ?

Le hacker vérifia l'un de ses écrans de contrôle :

– Il arrive bientôt à la maison occupée par O'Reilly et l'homme au chapeau beige.

– Ok, acquiesça Helena. Parfait. J'ai peut-être le temps de le rattraper.

– Peine perdue, corrigea Sonny Boy. Il est déjà devant le mur d'enceinte de la propriété.

La jeune Asiatique exhala un long soupir.

– Tant pis. Revenons-en au dossier d'autopsie. Tu penses pouvoir le récupérer ?

– Mais c'est déjà fait ! fanfaronna Sonny Boy. Le tour est joué !

– Hélas, se rembrunit Matthew, nous ne pouvons pas produire une pièce obtenue illégalement pour permettre la libération de Lamar. Aucun tribunal ne la recevra.

– Mais ça n'est pas fini ! s'insurgea Sonny Boy. J'ai encore une bonne nouvelle, que je gardais pour la fin.

Matthew leva un sourcil intrigué et vint s'asseoir dans le divan, face à l'écran :

– Je vous écoute.

– J'ai enfin trouvé une piste pour identifier l'agent qui a emporté le dossier d'autopsie et l'a remplacé par celui qui s'est retrouvé versé au dossier. Mes algorithmes de recherche anthropomorphique sont en train de croiser les résultats avec les emplois du temps des divers agents de terrain agissant à Manhattan. Le résultat devrait être probant.

Helena applaudit :

– Bien joué ! Tu as contacté Justin ?

Le hacker eut un haussement d'épaules fataliste :

– Je n'y arrive pas, mais c'est l'affaire de quelques minutes. Il doit se trouver dans une zone d'interférences. Ceci dit, je l'ai toujours en visuel, ne vous en faites pas.

– Ok, intervint Helena. Tout ça est passionnant, messieurs, mais je dois retrouver Justin au plus tôt. On se tient au courant ?

– Prends soin de toi, lança le hacker tandis qu'elle enjambait le rebord de la fenêtre.

Helena ne répondit pas.

D'un bond, elle se rétablit sur la plate-forme de l'escalier de secours et fila vers le toit où elle disparut tel un chat de gouttière.

Resté seul dans la pièce, Slides fixa l'écran avec un air soucieux :

– Sonny Boy ?

– Oui, Matthew ?

– Dès qu'il sera identifié, je pourrai avoir la photo de l'agent et son profil ?

– Avec le plus grand plaisir. D'autant qu'en effectuant des recherches complémentaires, j'ai trouvé des clichés extrêmement intéressants.

Matthew retint un juron en voyant défiler les images.

On y voyait d'abord un agent du F.B.I. dans son costume sombre, puis le même, présent dans la foule autour du bar. On l'apercevait enfin, serrant la main d'un homme au chapeau beige.

– Et oui ! s'esclaffa Sonny Boy. Encore un miracle de la technologie moderne : c'est fou ce qu'un logiciel de reconnaissance graphique peut faire, dès lors qu'on lui donne l'ordre de repérer un visage sur des milliers de clichés. Et voilà comment on a retrouvé notre ami Sean McNamara !

Matthew Slides ne masqua pas sa joie :

– C'est du bon boulot, Sonny Boy ! Cette fois, je crois que la boucle est bouclée.

Il se mordilla l'intérieur des joues :

– Vous savez ce que Justin veut faire, dans la propriété ?

Sitôt la question énoncée, il constata que le hacker avait blêmi. Et ce qu'il lut dans ses yeux ne le rassura nullement.

– Il… Il va tenter d'entrer seul dans la propriété, bégaya Sonny Boy. Je n'ai toujours pas trouvé le moyen de craquer les défenses de la villa et je ne suis pas certain de pouvoir suivre ses mouvements à l'intérieur de l'enceinte, ni de garder le contact.

Chapitre 37

Benjamin Craven manipulait avec fébrilité le micro relié au tableau de bord de sa berline. Il avait commis une terrible erreur en lançant toutes ses troupes à la poursuite d'un leurre et le regrettait amèrement : rien ne prouvait que Justin Case était toujours à l'intérieur de l'immeuble. Le Corbeau aurait aimé en avoir le cœur net, mais il redoutait l'avocat arrogant – ce Matthew Slides qui agissait comme l'âme damnée du playboy milliardaire dont il avait juré de prouver la culpabilité ! –, dont les menaces n'avaient pas été voilées.

Slides avait encore de nombreux contacts dans la magistrature. Il n'hésiterait pas à solliciter leur appui, déclenchant ainsi une succession de problèmes dont Craven préférait se passer.

Pour l'heure, tout du moins.

Car il n'était pas de ceux qui fuyaient les éventuels assauts et redoutaient la confrontation ! Il manquait seulement de temps, couvrant simultanément deux affaires importantes – démasquer la taupe qui agissait dans ses services et coincer enfin Justin Case.

Sous l'effet d'une violente montée de bile, le Corbeau serra les poings. Justin Case ! Encore lui, TOUJOURS lui ! Pour quel motif insensé le milliardaire était-il apparu dans le décor ? Comment pouvait-il se retrouver sur le chemin du F.B.I., quand le Bureau couvrait un dossier de la plus haute importance ? À quel caprice du destin assistait-on ?

Craven songea au double meurtre de Simonsen et O'Reilly. Il se remémora les différentes conséquences, jusqu'à ce massacre dans un bar de Harlem. Partout, chaque fois, ses hommes postés en des points stratégiques avaient pris des photos. Dans tous les cas – à l'exception de la première tuerie ! – Justin Case avait traîné sur les lieux.

Le Corbeau laissa fuser un rire aigre. Certes, on pouvait toujours avancer devant un tribunal que le hasard avait joué un rôle... Mais une telle succession de coïncidences n'existait pas ! Il en avait acquis la certitude : le fils d'Adrian Craven était un intrigant, à l'image de son défunt père. Un être malfaisant, calculateur, qui n'était jamais bien loin chaque fois qu'un mauvais coup se tramait !

La radio de bord crachota soudain, ramenant brusquement Craven à la réalité.

– La fille vient de sortir par l'escalier de service.

Craven eut une moue satisfaite.

Case et ses amis le prenaient pour un crétin, mais le piège avait fonctionné : il lui avait suffi de laisser deux hommes bien visibles dans la rue, pour que l'un des fugitifs se croit plus malin en empruntant une voie détournée...

Le Corbeau activa son micro :

– Parfait. Suivez-la à distance. Si Case n'est plus dans le nid, elle nous mènera à lui.

Il réfléchit un instant et reprit :

– Appel à toutes les unités. On reste en place. Il est peut-être toujours sur place. Seuls les agents désignés s'occupent de la filature.

Les accusés de réception se succédèrent.

Satisfait, Craven coupa la communication.

Justin Case et ses complices allaient bientôt assumer leurs choix...

On ne s'opposait pas impunément au Bureau !

Chapitre 38

Matthew Slides écoutait depuis un bon moment les commentaires de Sonny Boy. Sur l'écran du *laptop*, la caméra intégrée retransmettait en direct le spectacle du hacker, courbé au-dessus de son clavier. Les doigts de Sonny exécutaient une chorégraphie aux effets hypnotiques. Tout en pianotant, il gardait les yeux levés vers ses divers ordinateurs, et analysait à haute voix ses découvertes.

– Barton ! s'exclama-t-il soudain. Son nom est Barton !

Il leva les bras et mima une parodie de *Kapa O Pango*[18], en signe de victoire. Puis il se pencha vers la caméra, au point que son visage envahit tout l'écran.

– On le tient, Matthew ! claironna-t-il. L'homme du F.B.I. qui agit illégalement, c'est cet « agent Barton » !

– Tu en es certain ? insista Slides, oubliant le vouvoiement de rigueur, sous le coup de l'émotion.

– Affirmatif ! Tous les croisements ont été faits. Les identifications concordent et les derniers tests sur photos sont certifiés à 100 %.

[18] *Danse guerrière, popularisée récemment par l'équipe des All Blacks de Nouvelle-Zélande. Le Kapa O Pango est un haka particulièrement agressif.*

Sonny Boy pivota de nouveau pour s'éloigner de la caméra. Il entra une nouvelle série de codes, se cala dans son fauteuil et attendit en silence. Une poignée de secondes plus tard, il frappa dans ses mains avec satisfaction.

– Bingo ! J'ai tout le parcours du bonhomme et son profil complet.

D'une main ferme, il fit tourner son fauteuil roulant face à la caméra.

– Il est à nous, Matthew !

– Parfait ! le félicita Slides. Il faut prévenir Justin.

– C'est comme si c'était fait. Je dois pouvoir rétablir la communication.

– Autant annuler la visite, poursuivit l'ancien avocat. Si nous avons de quoi charger cet agent Barton, il est inutile d'aller plus loin en pénétrant dans la propriété des…

Il s'interrompit et constata avec inquiétude que les doigts de Sonny Boy s'agitaient en vain sur les touches de son ordinateur.

– Un problème, Sonny ? s'étrangla-t-il.

– Alleeeez ! psalmodiait le hacker. C'est pas le moment de me faire un caprice !

– Sonny ? répéta Matthew.

Il vit le hacker secouer la tête en signe d'incompréhension.

Sonny Boy s'escrimait en tous sens, passant d'un clavier à l'autre, connectant diverses machines.

– Je l'ai perdu ! glapit-il. Je n'ai plus aucun contact visuel, et je n'arrive pas à rétablir de communication téléphonique…

Chapitre 39

Justin terminait son second tour de la propriété de McNamara et O'Reilly. Il avait adopté une allure décontractée et marchait à pas lents, en s'appuyant sur la canne de Matthew. Le bout ferrée de l'arme heurtait le macadam au rythme de ses pas. Le soleil déclinait, il aurait bientôt disparu derrière Manhattan. La lumière rasante embrasait les toitures des maisons et soulignait les crêtes des arbres. L'air était doux…

Il s'accordait une courte pause, afin de mettre en perspective tous les éléments glanés au cours de son parcours de reconnaissance, quand il avisa de l'autre côté de la rue une octogénaire aux cheveux roses.

Tuyau d'arrosage à la main, la *nanny* mouillait des buissons qu'on eût cru taillés au scalpel, tant leur agencement était méticuleux. La vieille dame peinait à cacher son vif intérêt pour l'étrange visiteur.

Justin, plutôt que de choisir la fuite, la dévisagea à son tour.

Il se fendit d'un sourire séducteur, ôta son chapeau et esquissa une rapide révérence.

– Chère madame, lança-t-il avec entrain, ce quartier est magnifique et votre jardin en est sans conteste l'un des joyaux !

En entendant son compliment, la vieille dame rosit de fierté.

– Oh ! Ça n'est pas grand-chose, expliqua-t-elle. C'est juste beaucoup d'amour et beaucoup de temps – et j'en ai en réserve. À mon âge, on se consacre à sa maison et à ses fleurs !

Justin s'enhardit. Il traversa la rue et s'arrêta aux limites de la haie qui délimitait le jardin.

– Pardonnez mon insistance, poursuivit-il, mais j'envisage l'achat d'une maison à Staten Island. Je me promène donc, dans l'espoir de trouver la perle rare. Auriez-vous, par le plus grand des hasards, entendu parler d'une villa inhabitée ou sur le point d'être cédée par ses propriétaires ?

Le sourire s'effaça brusquement du visage bonhomme de l'octogénaire. Une lueur de méfiance traversa son regard et sa réponse se fit dans un souffle :

– Qui êtes-vous, jeune homme ? Et que cherchez-vous au juste ? Ils sont très rares, les jeunes gens de votre âge capables de s'offrir une propriété ici, et ceux qui s'intéressent aux maisons non occupées...

Elle s'interrompit et étudia le visage de Justin comme pour y lire un aveu. Ce dernier demeura impassible pendant l'examen.

– C'est un quartier calme, ajouta sèchement la vieille dame. Il ne s'y passe jamais rien et la police veille...

L'avertissement était clair.

Elle n'hésiterait pas à appeler le N.Y.P.D. pour signaler la présence d'un dandy gothique dans le quartier, s'il ne décampait pas sur-le-champ.

– Je ne voulais pas vous importuner, déclara Justin en reculant.

Il recoiffa son chapeau, salua la dame et tourna les talons.

Sans accélérer pour autant l'allure, il se lança dans un troisième tour de la propriété. Il pouvait sentir, rivés sur sa nuque, les yeux perçants de la *nanny* muée en cerbère.

Quand il eut tourné à l'angle du haut mur qui ceignait la villa, il fit un point succinct de la situation.

Il se trouvait à l'ouest de la maison.

Il avait eu le loisir de repérer six caméras de surveillance – Sonny Boy lui avait beaucoup appris en la matière ! – mais n'avait su discerner ni la présence de gardes, ni celle de chiens.

Il grimaça à l'énoncé de ce deuxième point, beaucoup plus problématique: certains dogues étaient habitués à se déplacer en silence et n'aboyaient jamais, même au moment de passer à l'attaque. Leurs maîtres les dressaient de sorte qu'ils surprennent les intrus.

Justin prit une profonde inspiration.

Il fallait pourtant tenter sa chance…

D'un geste vif, il s'assura que la poignée de la canne tournait bien, libérant l'épée camouflée dans son fourreau. Il réassujettit l'ensemble et fila vers le seul endroit – la barrière d'entrée principale mise à part – qui lui permettrait de pénétrer dans les lieux.

La chance était avec lui : de ce côté de la propriété, la rue était progressivement envahie par la pénombre. Pour achever le tableau, un distributeur de journaux se trouvait au milieu du trottoir et aucune lumière ne jaillissait des façades des villas voisines.

Justin estima qu'il lui faudrait grimper sur la borne de métal, bondir au sommet du mur et se laisser retomber de l'autre côté.

Il saisit son smartphone et appela Sonny Boy, afin de vérifier que le hacker avait enfin obtenu les derniers renseignements nécessaires à la résolution de cet épineux dossier.

Las, malgré plusieurs tentatives, il n'obtint pas la communication. Son téléphone cellulaire laissait entendre un crachotement épouvantable, qui pouvait laisser craindre que l'appareil avait rendu l'âme.

Justin le remisa dans la poche de sa veste. Il lança un regard circulaire, menton levé. Comme il fallait s'y attendre, deux caméras surveillaient la rue. Les mouchards, inaccessibles, étaient fixés au sommet de pylônes électriques.

« Au moins, songea-t-il, Sonny Boy aura l'image à défaut du son… »

Redoutant que des habitants du quartier finissent par rentrer et le surprennent au cours de son effraction, il prit son élan et mit son plan à exécution.

Un premier bond le propulsa au sommet du distributeur de journaux. Un second lui permit de prendre brièvement pied sur l'arête de l'enceinte. Au troisième, il foula du pied l'herbe impeccablement tondue du jardin. Sans perdre un instant, il courut se réfugier à l'abri d'un bosquet touffu. Il s'accroupit, le souffle rauque, et tendit l'oreille.

En priant pour ne pas entendre la galopade frénétique d'un molosse...

Chapitre 40

Benjamin Craven rongeait son frein. À ses côtés, le chauffeur grognait parfois. La surveillance se prolongeait, l'attente était interminable… Le silence lourd qui régnait à l'intérieur de l'habitacle n'était interrompu que par quelques annonces de service, retransmises par la radio de bord. Chaque fois que le poste émettait un signal, Craven se redressait comme sous une violente brûlure. Il retombait aussitôt en soupirant et se frottait les joues pour lutter contre le sommeil et l'engourdissement qui menaçaient toutes les sentinelles. La nuit était venue, plongeant la rue et les alentours dans un océan de goudron. Dans ce quartier calme, seules quelques fenêtres diffusaient des halos lumineux. On devinait la vie, à travers les carreaux. Les occupants, un à un, avait rejoint leur domicile, leur famille… Mais la plupart des ouvertures de l'hôtel particulier occupé par Matthew Slides demeuraient aveugles.

Une seule baie vitrée, au sommet de l'édifice, était éclairée.

– Il n'est plus là, grommela le pilote. On attend pour rien.

Devant le mutisme buté de Craven, il ouvrit la portière sans un mot et, ignorant le regard réprobateur du Corbeau, il fouilla dans sa poche, en extirpa un paquet de cigarettes et s'accorda une pause.

Craven secoua la tête de droite et de gauche, une moue de mépris sur les lèvres. Un bon agent ne fumait pas, ne buvait pas. Un bon agent se concentrait sur son travail et entretenait sa forme, pour se mettre au service du gouvernement et répondre au mieux à toutes les missions qui se proposaient à lui…

Hélas, les usages se perdaient.

Et la formation des nouvelles recrues laissait à désirer !

L'homme finit par écraser d'un coup de talon son mégot incandescent dans le caniveau, puis il reprit place dans le véhicule. En percevant l'odeur du tabac, Craven fronça les sourcils mais s'interdit tout commentaire. Il se borna à descendre la fenêtre de son côté et s'accorda une longue bouffée d'air frais.

– Patrouilleur neuf ! grésilla la radio. Patrouilleur neuf !

Le Corbeau s'empara du micro comme un possédé.

– Agent Craven ! haleta-t-il. Je vous écoute, patrouilleur neuf.

– La fille a emprunté un taxi, puis le métro. Elle est sortie dans le quartier des affaires et s'est dirigée vers la tour de la *C. & Son*. Nous avons verrouillé toutes les issues, elle ne peut pas nous fausser compagnie.

– Vous avez vérifié le parking souterrain ? s'inquiéta Craven. Il y a plusieurs sorties possibles.

– C'est fait. Nous avons un homme devant chaque issue du building. Personne n'en sortira sans être aussitôt identifié.

– Parfait, coupa Craven. Surtout, ouvrez l'œil.

Il raccrocha et se retint de formuler une réplique cinglante en avisant la moue goguenarde du pilote.

À l'évidence, Justin Case n'était plus chez Slides depuis longtemps. Il avait dû se réfugier dans ses appartements et attendait que sa secrétaire asiatique l'y rejoigne…

Benjamin Craven n'eut pas besoin de donner d'ordre.

Le pilote avait mis le contact et démarrait.

Le Corbeau reprit le micro :

– Appel à toutes les unités, articula-t-il comme à regret. On met le cap sur la tour *C. & Son*. Exécution.

Il raccrocha et chercha le contacteur de la sirène.

Le gyrophare se mit aussitôt en marche, éclaboussant les façades des immeubles de son faisceau sanglant.

Chapitre 41

La seule lumière en provenance de la villa était rouge sang. On distinguait son halo à l'angle opposé de la bâtisse – sans doute provenait-elle d'une lampe éclairant la piscine. Justin, en prenant position dans le jardin, s'était rapidement remémoré la configuration des lieux. S'il ignorait l'agencement précis des pièces de la maison, il n'eut en revanche aucune difficulté à s'orienter.

C'était une villa moderne, prenant modèle sur les habitations d'architectes européens. Des maisons comme on en trouvait sur la côte ouest des États-Unis, aux silhouettes épurées, jouissant de grands volumes intérieurs, éclairés par d'immenses baies vitrées. L'une d'elles donnait sur cette partie du jardin. Elle était occultée par des persiennes automatiques, qui s'étaient lentement refermées à mesure que la lumière du jour déclinait.

Justin consulta l'heure sur l'écran de son smartphone.

Il estima être resté à l'abri de son massif de fleurs pendant une vingtaine de minutes, attendant sagement que le vent tourne. La brise avait eu le temps de porter son odeur aux narines d'un éventuel dogue… mais aucun molosse n'était venu attaquer l'intrus.

Au terme d'une veille qu'il jugea raisonnable, rassuré de ne rien voir venir, le jeune homme se redressa et s'ébroua.

Il choisit de longer la maison par sa façade la plus courte. Sonny Boy lui en avait fourni des vues aériennes récupérées en temps réel sur Internet. La bâtisse, conçue en « L », s'orientait plein sud. Elle s'ouvrait sur la piscine et un vaste patio. C'est donc sans surprise que Justin atteignit le bassin, au bord duquel une série de lampadaires rouges dispensait une lumière tamisée.

Immédiatement, il localisa son adversaire.

L'homme au chapeau beige avait pris place sur une chaise longue équipée d'un confortable matelas de cuir blanc. Jambes croisées, il sirotait à la paille un verre coloré. Sur une table basse, deux téléphones portables... ainsi qu'un revolver de gros calibre.

Un ordinateur portable complétait l'équipement de Sean McNamara, qui leva son verre pour trinquer à l'arrivée de Justin.

– Je me demandais quand vous vous décideriez ! railla-t-il. Monsieur ?

– Case. Justin Case.

L'homme au chapeau beige fronça un moment les sourcils, puis il déclara :

– Oh ? Je vois. L'héritier de l'empire… C'est un honneur de vous accueillir dans cette modeste demeure, jeune homme !

McNamara désigna du pouce l'écran de son *laptop*.

– Vous avez été repéré à l'instant où vous avez franchi le mur d'enceinte.

– J'aurais dû faire preuve de discrétion, admit Justin en avançant.

– Soyez sans regret ! ricana McNamara. Vous auriez fourni de gros efforts en pure perte : cette maison est truffée de gadgets qui m'assurent la tranquillité la plus totale. Un mulot ne pourrait s'y déplacer sans être aussitôt repéré.

– Désolé de vous avoir fait attendre, dans ce cas.

– En vérité, je m'inquiétais. Ne vous voyant toujours pas venir, j'en étais à penser que vous aviez fait demi-tour.

– Je craignais la présence d'un chien de garde, avoua Justin en s'approchant davantage.

McNamara éloigna une mouche invisible.

– Un chien ne serait d'aucune utilité. Les robots et les systèmes de sécurité n'ont pas besoin qu'on les nourrisse… et ils laissent le gazon propres, eux.

Il fit un nouveau signe pour inviter Justin à s'approcher.

Le jeune homme contourna lentement la piscine et prit place dans le fauteuil que McNamara lui désignait. Il demeura ensuite silencieux, tandis que son hôte le détaillait avec soin.

– Bizarre, ce costume, lâcha l'homme au chapeau beige. Je ne vous imaginais pas ainsi.

Justin eut un mouvement d'épaules insouciant :

– C'est une longue histoire…

McNamara n'insista pas.

Il s'octroya une nouvelle gorgée de son cocktail, posa le verre et s'empara de son arme, qu'il tint nonchalamment à bout de bras.

– Mais racontez-moi plutôt ce qui vous amène, monsieur Case. Je suis curieux d'entendre vos explications.

– Ça aussi, c'est une longue histoire… soupira Justin.

– Mais nous avons tout le temps ! l'encouragea McNamara. La nuit est à nous. Allons ! Je vous écoute.

Sa voix s'était faite grondante.

Justin le considéra sans aménité. McNamara ne souriait pas. Il affectait la décontraction, mais donnait des ordres. Ses yeux vifs scrutaient son interlocuteur, attentifs à la moindre manifestation.

À n'en pas douter, il était sur le qui-vive et n'hésiterait pas à faire usage de son arme. Le jeune homme décida qu'il valait mieux attendre le moment propice, plutôt que d'agir en suivant son instinct.

– Soit ! céda-t-il.

Il ne chercha pas à mentir, et résuma toute son enquête.

Il expliqua la découverte du cas de Lamar Dawson, son intime conviction de l'innocence du condamné. Les divers rebondissements qui l'avaient amené jusqu'à la villa. Il garda sous silence le rôle essentiel de Sonny Boy et ne cita qu'Helena – qu'il appelait pour l'occasion « mon assistante » – et Matthew (rebaptisé « mon conseiller »).

McNamara ne l'interrompit à aucun moment.

Justin lut dans les yeux de son interlocuteur qu'il cherchait à trier le bon grain de l'ivraie et qu'il avait l'habitude de démasquer les menteurs. Il choisit donc de n'énoncer que des vérités, en prenant toutefois garde de ne pas entrer dans les détails.

– Et c'est ainsi que je me suis retrouvé dans votre jardin! conclut-il. J'avais décidé de venir vous voir pour savoir le fin mot de cette histoire. Vous êtes un personnage étrange. Difficile à cerner.

McNamara eut un hochement de tête compatissant:

– Hélas, monsieur Case! Vous avez agi par pure bonté d'âme et c'est tout à votre honneur mais... (Il feignit de chercher ses mots avant d'ajouter, perfide.) Le monde actuel n'est pas régi par l'honneur. D'autres règles prévalent aujourd'hui. Un exemple? Voyons... « Les arguments ont toujours plus de poids quand on a un revolver en main. » Ce qui, vous l'aurez noté, est mon cas. Vous comprenez?

Justin opina.

Il vit que son interlocuteur bombait le torse. McNamara arborait un air satisfait et c'était le défaut de sa cuirasse: l'homme faisait preuve d'un ego démesuré.

Justin décida d'attendre encore un peu.

– Cher monsieur Case, soupira encore McNamara, je suis au regret de vous dire que votre parcours s'achèvera ici. Je ne peux pas vous laisser repartir, vous en savez déjà beaucoup trop.

Il émit un petit rire de gorge et poursuivit:

– En fait, vous ne savez pas grand-chose, mais c'est DÉJÀ trop. On pourrait remonter jusqu'à moi dans cette affaire, ce qui est hors de question. Tenez: jouons un peu, vous et moi! Seriez-vous d'accord?

– Pourquoi pas?

– Je vous pose des questions et vous me répondez?

– Va pour un quiz...

– Mmmmh... Attendez... J'y suis! Première question: quel est mon rôle dans cette histoire?

Justin croisa les jambes et posa sa canne en travers de ses genoux.

McNamara remonta aussitôt son arme, braquant la gueule du canon sur le visage du jeune homme:

– Mettons-nous simplement d'accord, avant toute chose!

– C'est vous qui avez le pistolet.

– Exact. Et je m'en sers très bien. Un seul mouvement brusque, une tentative de vous servir de votre canne... Et vous serez mort dans la seconde.

Il leva encore son pistolet et accrocha des éclats de lumière rouge à son canon métallique :

– Ce joujou envoie des projectiles de fort calibre. Ses balles sont capables de stopper net une voiture. Un coup, un seul, et votre tête explose. Songez qu'il me faudrait faire nettoyer tout le mobilier et changer l'eau de la piscine...

– Je m'en voudrais de vous causer autant de désagrément ! railla Justin.

– Je vois avec bonheur que nous sommes entre gens du monde. Mais poursuivez, voulez-vous ?

– Je crois que vous étiez en affaire avec O'Reilly. Sans doute a-t-il cherché à vous doubler dans une transaction – probablement un trafic organisé avec la complicité de Simonsen. Ou peut-être étiez-vous concurrents ? Il m'apparaît que vous vous êtes débarrassé de lui par appât du gain, pour conserver la totalité de la transaction. Vous avez également éliminé Simonsen, afin qu'on ne puisse pas remonter la piste qui menait à vous.

Le visage de McNamara se fendit d'un sourire :

– Très intelligent, monsieur Case.

– Trop aimable.

Cette fois, McNamara explosa de rire :

– Je plaisantais, jeune blanc-bec ! Vous êtes totalement à côté de la plaque.

Justin se raidit imperceptiblement.

Il prit son smartphone et le déverrouilla.

McNamara leva encore une fois son arme :

– Tout doux, mon garçon. J'oubliai : ne songez même pas à vous servir de votre cellulaire ! La villa est équipée d'un système de brouillage très performant, qui interdit toute utilisation de G.S.M. Les appareils que vous voyez sont équipés en conséquence, et ce sont les seuls qui soient réglés sur la fréquence *ad hoc*.

Justin se mordit l'intérieur des joues. Il n'était pas parvenu à joindre Sonny Boy et comprenait maintenant pourquoi. Las, le hacker ne parviendrait pas non plus à le localiser, car le brouillage faisait effet dans les deux sens...

Il rangea son smartphone dans la poche extérieure de sa veste.

McNamara était hilare.

– Vous vous croyez dans un film, monsieur Case. Les gamins nés comme vous dans un milieu richissime sont coupés de la réalité. Vous pensez sans doute faire régner la justice sur le monde ?

– C'est un peu l'idée, convint Justin.

– Alors vous êtes encore plus bête que je l'imaginais ! s'esclaffa l'homme au chapeau beige. Mais après tout, on ne peut pas demander à un enfant gâté de se secouer les méninges. Pourquoi le ferait-il, puisqu'il possède déjà tout ce dont on peut rêver ?

– C'est une vision un peu réductrice et caricaturale, non ?

– Non !

McNamara avait aboyé.

Justin soutint le regard noir de son interlocuteur.

– Vous avez tout, haletait McNamara. Vous êtes milliardaire. Vous régnez sur le monde. Vous pouvez exaucer tous vos caprices.

Son débit s'accélérait, sa main s'agitait… Et l'arme en suivait les mouvements saccadés, pointant dangereusement le front ou la poitrine de Justin.

– Mais c'est terminé, en ce qui vous concerne ! décréta McNamara. Vous savez ce que je vais faire ?

Justin tourna lentement la tête dans la négative.

– Je vais tout vous raconter. Vous saurez tout, monsieur Case. Et vous savez ce que vous allez faire ?

Nouveau mouvement de dénégation silencieux.

– Vous allez croire qu'à la fin, la cavalerie va arriver et que vous allez l'emporter.

Il se pencha vers Justin et ajouta dans un petit rire de gorge :

– Mais personne ne viendra. Je vous ferai descendre dans la cave de cette maison, je vous y tuerai et vous y ferai disparaître. Car c'est ÇA la réalité : à la fin, ce ne sont pas toujours les gentils qui gagnent, mais les plus malins. Ou les plus forts.

Justin croisa docilement les bras et se tassa dans son siège.

– Bref ! reprit McNamara. Vous imaginez sans doute que feu O'Reilly était un trafiquant comme moi ? Pas du tout. C'était un membre de la C.I.A.

La révélation laissa Justin sans voix.

Devant sa mine stupéfaire, McNamara ricana de plus belle.

– Eh oui, monsieur Case ! Un membre de l'Agence, missionné pour infiltrer nos réseaux. Un sale rat, que nous avons démasqué et qu'il a fallu exécuter. Mais vous savez ce que c'est, n'est-ce pas ? Si nous nous étions contentés de le faire disparaître, toute la C.I.A. serait entrée dans la danse, et nous ne pouvions pas nous le permettre. C'est pourquoi nous avons assassiné également Simonsen, un petit truand sans envergure. Et nous y avons associé Wesley Knight, qui a voulu jouer au plus malin en conviant Lamar Dawson, dont il espérait faire un bouc émissaire. Quand j'ai compris que trop de monde se trouvait associé à cette entreprise, j'ai décidé de faire le ménage.

– Et les morts se sont accumulés…

– Inutile de prendre cet air offusqué ! le sermonna l'homme au chapeau beige. Le trafic d'armes est une guerre comme les autres. Ni plus violente, ni plus douce que celles que se livrent chaque jour vos amis de la finance.

– Je choisis mes amis dans d'autres milieux que celui de la finance, corrigea Justin. Quant à mes affaires… elles ne laissent pas de cadavres dans leur sillage.

– Ça reste à prouver ! rugit McNamara.

Il s'était remis à trembler sous l'effet de la colère.

Soucieux de le ramener au calme, Justin risqua une question :

– Et que vient faire le F.B.I. dans cette histoire ?

McNamara recouvra ses esprits et dévisagea Justin avec insistance.

– Excellente question, mon jeune ami. Le F.B.I. a toujours été partie prenante de cette affaire. Quand on organise des trafics à mon échelle, on a besoin d'appuis. De renseignements. De coups de pouce, parfois…

– Comme de faire disparaître un dossier du bureau du médecin légiste ?

– Je vois que vous réfléchissez à nouveau. C'est bien, c'est très bien. Poursuivez !

– Vous disposez de l'aide d'un agent du Bureau. Un homme qui vous est dédié et que vous rétribuez grassement, en échange de services rendus. C'est pour cela que vous ne craigniez pas la présence du F.B.I. autour des lieux de vos méfaits: votre homme pouvait faire disparaître les éventuelles preuves qui vous accusaient, pour les remplacer par d'autres!

– Bien vu! reconnut McNamara. Mais c'est un jeu dangereux, qui a un coût élevé! Mieux vaut ne pas y jouer trop souvent.

Justin se pinça la base du nez. Les idées se mettaient en place avec une logique implacable. Il réfléchit à haute voix:

– C'est votre homme qui oriente le N.Y.P.D. et le mène jusqu'à l'arme utilisée pour le premier double meurtre…

– Oui.

– C'est encore lui qui fait disparaître le dossier d'autopsie et le remplace par des données falsifiées – des manipulations qui vont conduire à la condamnation de Lamar Dawson.

– Exact.

– C'est lui qui supervise l'exécution de Max à Harlem et veille à ce que tous les protagonistes disparaissent un à un.

McNamara se mit à mimer un applaudissement nourri.

– Il ne me reste qu'une question… hésita Justin.

– Je vous dois bien ça!

– Comment s'appelle-t-il?

– Quel intérêt?

– Simple curiosité.

– Oh? C'est tout naturel, après tout. Il s'agit de l'agent Barton.

– Merci, murmura Justin en levant la tête. Au moins… cette affaire est résolue.

L'homme au chapeau beige l'observa avec une lueur d'étonnement.

– Je ne vois pas ce qui vous réjouit, jeune homme. Je vais maintenant vous demander de vous lever et de me suivre à la cave, où je vais vous exécuter. Mais ne craignez rien! Ce sera rapide et indolore.

– Monsieur est trop généreux.

À l'invitation de l'homme au chapeau beige, Justin se leva.

Il huma l'air ambiant, leva les yeux vers les étoiles.

Non loin, deux hélicoptères filaient. Leur faisceau lumineux découpait la nuit. Le premier disparut de l'autre côté de la villa et le *flof flof flof* de ses pâles ne fut bientôt plus qu'un murmure. Le second virait en direction de l'embarcadère…

Justin lança un dernier regard vers Manhattan. Il chercha la tour *C. & Son*, dans l'espoir de la contempler une dernière fois.

– On y va ! ordonna McNamara en pointant son arme. Cesse de traîner, tu n'as aucune aide à attendre.

Justin stoppa et fit volte-face :

– On se tutoie, dorénavant ?

– Ne t'en fais pas, gloussa McNamara, ça ne devrait pas t'embêter longtemps ! Allons, avance !

Il secouait son arme pour indiquer la direction.

Justin tenta le tout pour le tout. Il frappa de la canne, fouettant l'air avec une violence inouïe. L'arme atteignit McNamara au poignet. Il y eut un craquement sinistre et McNamara lâcha son pistolet en hurlant de douleur. L'arme glissa sur le sol et tourbillonna en direction de la piscine, où elle tomba.

Justin doubla l'attaque, frappant de la canne comme s'il s'était agi d'une épée. Il se fendit et cogna de toutes ses forces. Touché au front, McNamara émit une nouvelle plainte et tomba lourdement sur le sol, bras en croix. Il s'ébroua, voulut ramper hors d'atteinte, mais Justin dévissa le manche de la canne et libéra l'épée.

D'un bond, il fut au-dessus de son adversaire et pointa l'arme sur sa gorge.

– Un geste de plus et vous êtes mort ! annonça-t-il.

Il entendit le déclic métallique d'une arme dans son dos.

– Amusant, grasseya l'agent Barton. J'allais vous dire la même chose, monsieur Case !

Chapitre 42

Justin s'était figé. Il écarta lentement les bras puis, sur ordre de l'agent Barton, il laissa tomber la canne-épée qui ricocha sur le dallage avec un bruit mat – celui de l'échec.

McNamara s'était dégagé. Il avait roulé sur lui-même, s'était relevé en grimaçant et, tenant son poignet endolori, s'était approché de Justin en roulant des yeux fous.

– Sale petite ordure ! hurla-t-il en présentant son avant-bras marbré d'un hématome. Tu as vu ce que tu m'as fait ?

Justin soutint son regard sans ciller.

– Vraiment désolé, murmura-t-il. J'aurais tant voulu te casser le poignet…

Perdant contrôle face à la détermination de son adversaire, McNamara lui décocha un violent coup de poing à l'estomac.

Justin exhala un long soupir de douleur. Plié en deux, il dut mettre un genou à terre. L'homme au chapeau beige, mû par un nouvel accès de fureur, arma un nouveau coup, sous les rires de son complice.

– Doucement ! ricana Barton. Si tu le tues ici, il faudra transporter le corps jusqu'à la cave…

– Si j'étais vous, intervint Helena, je m'abstiendrais. La queue de détente de ce jouet hors de prix est réglée au minimum. Une simple crispation suffirait à vous réduire en miettes.

L'agent Barton fit volte-face. Les yeux ronds, il braqua son pistolet dans la direction de la jeune Asiatique.

Helena était apparue de l'autre côté du bassin. Parfaitement stable sur ses jambes écartées, elle les tenait dans sa ligne de mire.

McNamara s'était figé, dans une position grotesque de footballeur s'apprêtant à shooter. Justin, mains toujours pressées sur l'abdomen, tourna la tête vers son amie :

– Juste un peu en retard…

Helena ne quittait plus des yeux le mufle d'acier du pistolet de l'agent Barton. Elle braquait le sien – un monstrueux *Desert Eagle* .5.0[19] – sur son adversaire.

– Désolée, articula-t-elle. J'ai dû poser l'hélico à l'arrache, dans le jardin d'un voisin – qui n'a pas apprécié la plaisanterie. Ce quartier est mal foutu. Ils ont tous la possibilité de s'en payer un, mais personne ne songe à faire construire un héliport dans son parc.

L'agent Barton reculait lentement vers la villa.

Helena conservait son arme braquée dans sa direction.

– C'est inutile, affirma-t-elle sur un ton glacial, vous ne m'échapperez pas. Je vous conseille de ne plus bouger.

Barton hésitait.

Il passa une langue nerveuse sur ses lèvres.

– Tire ! beugla soudain McNamara. Descends-la !

Une déflagration formidable lui répondit.

Le canon du *Desert Eagle* vomit une longue flamme.

Comme dans un film défilant au ralenti, ils virent l'agent Barton s'envoler sous la puissance du choc. Projeté en arrière, l'homme percuta la baie vitrée, qui explosa en une myriade d'éclats. Il retomba lourdement dans la salle de séjour, au milieu d'une pluie d'étoiles de verres.

– À vos ordres ! fit Helena en se tournant vers McNamara.

Elle arma de nouveau son terrible pistolet.

– N'hésitez pas à répéter l'ordre, monsieur McNamara. Je me ferai un plaisir de… l'exécuter.

– Ça ne sera pas utile, mademoiselle Carter-Lee, fit une voix jaillie de nulle part. Déposez vos armes et levez les mains. Tous.

– Agent Craven, s'exclama Justin en retrouvant son souffle. Il ne manquait plus que vous !

[19] *L'une des armes de poing les plus puissantes du monde.*

Chapitre 43

Les hommes du F.B.I. avaient pris le contrôle de la villa. Ils fouillaient la maison, à la recherche de dossiers et de pièces à conviction. Une équipe médicale s'affairait autour de l'agent Barton, qui gisait inanimé sur le sol. Au loin gémissait la sirène d'une ambulance.

– S'il s'en sort, diagnostiqua froidement Helena, il ne se servira plus jamais de son bras droit.

– Je te savais grande et généreuse, ironisa Justin, mais tu révèles des trésors de compassion !

– Vous pouvez toujours fanfaronner, coupa le Corbeau. Mais cette fois, je vous tiens.

Justin leva un sourcil. Une moue ironique au coin des lèvres, il toisa l'agent Craven :

– Et pour quels motifs ?

– Vous plaisantez ? s'étouffa Craven. Je dispose d'assez de charges pour vous enfermer au moins dix ans !

– C'est ce que vous croyez, s'amusa Helena.

Craven blêmit. Il posa sur la jeune Asiatique un regard furibond :

– Vous n'êtes pas en reste, mademoiselle Carter-Lee. Nous avons eu toutes les peines du monde à vous localiser, mais croyez bien que je ne vous lâcherai pas non plus !

– Quitte à faire obstruction à la justice, agent Craven ?

Le Corbeau fut désarçonné par sa dernière remarque.

– Quoi ? balbutia-t-il. De qu…

– Depuis mon hélicoptère, expliqua-t-elle alors, j'ai pu joindre Matthew Slides. Ce dernier m'a assuré que le *Coroner*[20] contacté par ses soins avait officiellement ordonné la réouverture du dossier de Lamar Dawson. Et qu'il exigeait la suspension de l'exécution. Matthew Slides m'a demandé de rapporter des preuves…

– Mais quelles preuves ? s'époumona Craven, perdant tout contrôle.

Justin s'éclaircit la gorge. Il leva ses mains menottées et les agita comme des marionnettes de petit théâtre :

– Vous permettez, agent Craven ?

Abasourdi, le Corbeau le libéra de ces pinces métalliques.

– Vous êtes depuis des mois à la recherche d'une taupe qui agit depuis vos services, commença Justin. Vous avez vite compris que l'affaire du double meurtre vous mènerait à l'agent véreux, mais vous m'avez trouvé sur votre chemin – pas pour les intentions que vous m'avez aussitôt prêtées, mais passons. Vous avez identifié l'agent Barton, mais vous ne saviez ni pour qui il œuvrait, ni dans quelles conditions. De plus, vous avez été averti par des hommes de la C.I.A. qu'ils suivaient cette affaire. Dès lors, vous étiez tenu d'avancer masqué, et de ne pas commettre d'erreur.

– Je n'ai pas commis d'erreur ! grinça le Corbeau. J'ai arrêté Barton au final, et je vous tiens.

– Il vous manque des preuves, contre attaqua Justin. Barton prétendra avoir agi sous couverture. Il dira avoir voulu jouer la comédie pour infiltrer les réseaux des trafiquants d'armes. Il affirmera que sa comédie lui avait permis de contacter feu O'Reilly et que les deux hommes avaient décidé d'agir de concert. Il jurera avoir été sur le point d'arrêter tous les coupables de cette affaire… Ce sera sa parole contre la vôtre et aucun tribunal ne le condamnera. Pire : vos supérieurs risquent fort de vous faire payer cet échec cuisant.

[20] *Le Coroner est un fonctionnaire indépendant, chargé des enquêtes en cas de décès violents. Son action est publique et il est totalement indépendant des autres services de police… Ce qui en fait un allié précieux pour Matthew Slides.*

Le Corbeau pâlissait à vue d'œil.

– À moins que… murmura Justin.

Il vit la lueur d'espoir qui ranimait le regard de l'agent et poursuivit, avec un sourire en coin :

– Montrez-vous coopératif, agent Craven. Relâchez-nous maintenant et laissez-nous le temps de faire libérer Lamar Dawson. Quand il sera innocenté, je vous fournirai toutes les preuves dont vous avez besoin.

Tout en parlant, il avait plongé la main dans la poche extérieure de sa veste. Il en ressortit son smartphone et l'agita sous le nez du Corbeau stupéfait.

Quand Justin pressa la touche de l'enregistreur vocal, un extrait du discours de McNamara se fit entendre. Suivirent quelques mots prononcés par Justin.

Benjamin Craven en demeura abasourdi.

Tous les échanges avaient été enregistrés.

– Vous verrez, fit Justin avec calme, il ne manque rien. Même l'intervention de l'agent Barton y figure. Son intervention… et l'explication de son rôle dans toute cette affaire, par la bouche même de son complice !

Benjamin Craven demeurait mutique.

– Réfléchissez, insista Justin. Peut-être aurez-vous besoin de ceci ?

Helena s'était rapprochée de son compagnon.

– Et s'il refuse ? lui souffla-t-elle à l'oreille.

– Nous laisserons Matthew et le *Coroner* s'en charger, répondit-il *in petto.*

Épilogue

Cédant à une impulsion, Craven avait tenu bon.

Il avait joué… et il avait perdu.

Il paierait cher son stupide entêtement, en justifiant bientôt de son attitude aux yeux de sa hiérarchie. Le Corbeau avait subi une terrible humiliation, quand l'ordre de libérer ses deux prisonniers était arrivé.

Ils étaient à peine revenus à Manhattan, sous bonne escorte, que Justin et Helena avait été relâchés. C'est avec un nœud au ventre que l'agent Craven les avait regardés partir.

Car il avait suffi d'une entrevue de dix minutes pour que Matthew Slides obtienne la libération de ses deux amis. Une entrevue… et un coup de téléphone, pour être précis. Comme l'avait annoncé Helena, l'ancien avocat avait appelé un *Coroner* de sa connaissance. Ce dernier avait lui aussi décroché son téléphone pour exiger qu'on rouvre le dossier, et le tour avait été joué.

La nouvelle procédure lancée, Benjamin Craven n'avait pu s'opposer à la libération de deux des témoins-clés.

Une autre libération avait suivi peu après : celle de Lamar Dawson.

À sa sortie de prison, l'homme avait pu rencontrer son sauveur, venu le chercher en compagnie de son épouse et de ses enfants. Dawson avait été réhabilité. Il avait trouvé un nouvel emploi, ainsi qu'un nouvel appartement, dans un quartier très calme de Manhattan – la *C. & Son Company* mettait un point d'honneur à bien traiter ses employés.

Justin s'était éclipsé, abandonnant la famille Dawson à sa nouvelle vie, loin des anciens amis du petit délinquant repenti.

Tout le monde avait droit à une seconde chance…

Lamar et les siens semblaient déterminés à en profiter.

Bien décidés à fêter cette victoire, Matthew et Justin s'étaient retrouvés au *B.B. King Blues Club and Grill.* Attablés devant la scène, ils savouraient un cocktail, en attendant qu'on leur apporte l'un de ces délicieux burgers qui faisaient, entre autres, la réputation de l'établissement.

– Tu m'as l'air songeur ? murmura Matthew en avisant le visage sombre de son protégé. Tu devrais te réjouir…

Justin eut une mimique triste.

– Nous avons réuni une famille, c'est vrai. Sonny Boy et Helena ont fait un super boulot, mais…

Slides hocha la tête avec gravité.

– Tu pensais à tes parents.

Il s'accorda un instant de répit, puis reprit :

– Cette histoire devrait t'apprendre à réfléchir, je crois.

– Exprime-toi plus clairement, veux-tu ?

– Nous nous sommes fourvoyés tout au long de l'enquête, soupira Matthew. En ne cherchant pas à savoir À QUI nous avions affaire. Ce faisant, nous avons avancé à tâtons, dans un corridor inconnu et plongé dans les ténèbres…

– Exact, *dottore.* Nous avons perdu beaucoup de temps et d'énergie…

– Et tu as couru des risques insensés ! le coupa Matthew, avant de se radoucir. À l'avenir…

– Oui ?

– Essaie de déterminer *À QUI PROFITE LE CRIME.*

Justin demeura songeur. Il leva son verre, fit tinter les glaçons et prit une rasade du liquide brûlant.

À qui profite le crime ?

C'était la seule question. La résoudre, c'était sans doute remonter à la source. Trouver le responsable de la disparition de ses parents.

Justin décocha un large sourire à son vieil ami.

Sur scène, le guitariste s'était avancé d'un pas.

Il entamait l'un de ses plus beaux chorus.

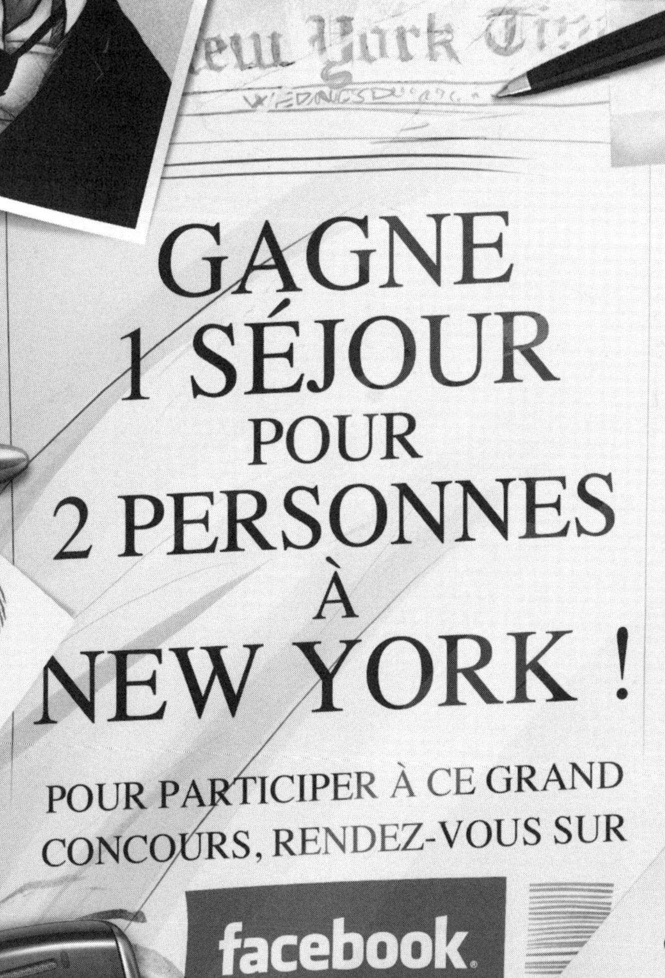
GAGNE
1 SÉJOUR
POUR
2 PERSONNES
À
NEW YORK !
POUR PARTICIPER À CE GRAND
CONCOURS, RENDEZ-VOUS SUR
facebook
facebook.com/JustinCase.Grund
JUSTIN CASE
04:25 PM
Concours ouvert du 04/04/2013 au 30/08/2013 inclus.